La casa de Bernarda Alba

Contemporánea
Teatro

FEDERICO
GARCÍA
LORCA

LA CASA DE
BERNARDA
ALBA

Edición y guía de lectura de Joaquín Forradellas

AUSTRAL

ESPASA

Esta edición dispone de recursos pedagógicos en www.planetalector.com

© Herederos de Federico García Lorca, 1938
© Espasa Libros, S. L. U., 2010
   Avinguda Diagonal, 662, 6.ª planta. 08034 Barcelona (España)
   www.espasa.com
   www.planetadelibros.com

Diseño de la colección: Compañía
Ilustración de la cubierta: © Gregory Costanzo / Getty Images
Primera edición en Austral: 22-III-1973
Cuadragésima novena edición:
   Primera en esta presentación: junio de 2010
   Segunda impresión: febrero de 2011
   Tercera impresión: octubre de 2011
   Cuarta impresión: octubre de 2012
   Quinta impresión: junio de 2013
   Sexta impresión: enero de 2014
   Séptima impresión: septiembre de 2014
   Octava impresión: junio de 2015
   Novena impresión: agosto de 2016

Depósito legal: B. 35.144-2011
ISBN: 978-84-670-3332-8
Impresión y encuadernación: CPI (Barcelona)
Printed in Spain - Impreso en España

Biografía

Federico García Lorca (Fuente Vaqueros, 1898-Víznar, 1936) hijo de un rico propietario y de una maestra, vivió una infancia rural a la que sumó una completa formación. Se trasladó a Madrid, donde se alojó en la Residencia de Estudiantes y conoció a sus compañeros de generación y a muchas figuras del panorama artístico. En este ambiente conoce las Vanguardias, pero su personal sensibilidad sobrepasa las modas y triunfa definitivamente con su emblemático *Romancero gitano*. Tras vivir una enriquecedora temporada en Cuba y Nueva York (el impacto de esta cidad da lugar a *Poeta en Nueva York*), vuelve a España. Durante la República, dirige la compañía La Barraca, grupo teatral universitario con el que llevó el teatro clásico por todos los rincones de España. En 1933 visita Buenos Aires, donde sus dramas obtienen gran éxito. De regreso, Lorca, que es ya poeta de éxito, manifiesta públicamente sus ideas de izquierdas; este hecho lo pone en el punto de mira de los nacionales que lo asesinan nada más estallar la guerra civil, dos meses después de terminar *La casa de Bernarda Alba*. Otras obras destacadas del autor son *Poema del cante jondo*, *La zapatera prodigiosa*, *Bodas de sangre*, *Yerma*, *Doña Rosita la soltera o el lenguaje de las flores*, *Mariana Pineda* y *El público*, todas ellas publicadas en Austral.

ÍNDICE

INTRODUCCIÓN de Joaquín Forradellas 9
  Biografía 9
  La casa de Bernarda Alba 24
    Representaciones y recepción 24
    Intertexto y género 29
  Entre el drama rural y la tragedia 36
  Documental fotográfico. El cine 43
  El texto, espacio y tiempo escénicos 53

BIBLIOGRAFÍA SELECTA 63

LA CASA DE BERNARDA ALBA

Acto primero 79
Acto segundo 129
Acto tercero 181

GUÍA DE LECTURA, por Joaquín Forradellas 223
  Cuadro cronológico 225
  Documentación y taller de lectura 233

INTRODUCCIÓN

Mi padre, Federico García Rodríguez. Madre, Vicenta Lorca Romero. Nací en Fuente Vaqueros, pueblecito situado en el centro de la Vega de Granada. A los siete años fui a Almería, donde estuve en un colegio de padres escolapios y donde comencé el estudio de la música. Allí hice el ingreso, y allí tuve una enfermedad en la boca y en la garganta que me impedía hablar y me puso en las puertas de la muerte. Sin embargo, pedí un espejo y me vi el rostro hinchado, y como no podía hablar, escribí mi primer poema humorístico, en el cual me comparaba con el gordo sultán de Marruecos Muley Hafid. Después me trasbordé a Granada, donde continué el estudio de la música con un viejo compositor, discípulo de Verdi, don Antonio Segura, a quien dediqué mi primer libro, *Impresiones y paisajes*. Él fue quien me inició en la ciencia folclórica. La vida del poeta en Granada, hasta el año de 1917, es dedicada exclusivamente a la música. Da varios conciertos y funda la Sociedad de Música de Cámara, en la cual se oyeron los cuartetos de todos los clásicos, en un orden como por circunstancias especiales no se habían oído en España.

Como sus padres no permitieron que se trasladase a París para continuar sus estudios iniciales, y su maestro de música murió, García Lorca dirigió su (dramático) patético afán creativo a la poesía. Entonces publicó *Impresiones y paisajes*, y después infinidad de poemas, algunos recogidos en su *Libro de poemas* y otros perdidos. Así continuó su vida de poeta.

El gitanismo es tan sólo un tema de los muchísimos que tiene el poeta; pero no fundamental en su obra, ni mucho menos persistente. El *Romancero gitano* es un libro en el que el poeta ha acertado por el tono del romance y por tratarse de un tema de su tierra natal: pero no se puede clasificar a este poeta de ambición más amplia como un cantor de esta raza y nada más.

El viaje a Nueva York puede decirse que le enriquece y cambia la obra del poeta, ya que es la primera vez que éste se enfrenta con un mundo nuevo.

Tiene tres hermanos: Francisco, Concepción e Isabel, la última gran amiga del gran poeta Juan Ramón Jiménez, y a quien este poeta ha dedicado uno de sus más hermosos romances.

Gustos: Al poeta le gustan los toros y los deportes y cultiva el tennis, que dice que es delicadísimo y aburridísimo casi como el billar.

[VI, 475-476. Ed. de *Obras de F. G. L.*, por Miguel García Posada. Remitimos a ella por tomo y página].

Federico García Lorca redactó este peculiar *curriculum vitae* en Nueva York, hacia 1929 o 1930, por solicitud de Francis C. Hayes, compañero del poeta en el John Hay Hall de la Universidad de Columbia. John Crow, otro residente, lo publicó en 1945. Poco más tarde, en *Poesía española. Antología 1915-1931* (Signo, Madrid, 1932), colegida por Gerardo Diego, se imprime sin firma una nota biográfica, de tono más impersonal, que no dudo en atribuir al propia Lorca, y que reza así:

Nació en Fuente Vaqueros (Granada) a fines del siglo XIX. En la Universidad de Granada y en la de Madrid estudió Derecho y Filosofía y Letras. Es licenciado en Derecho (Granada). Entre sus maestros de la Universidad granadina recuerda con especial cariño a D. Martín Domínguez Berrueta y a D. Fernando de los Ríos.

Ha viajado por casi todos los rincones de España. Por Francia, Inglaterra y en 1929-1930 por los Estados Unidos,

Canadá y Cuba. En 1933-1934 ha hecho un viaje a Buenos Aires y Montevideo, y ha dirigido representaciones dramáticas de obras suyas y de clásicos españoles. En estas ciudades, así como en Nueva York, Cuba y España, ha explicado conferencias musicales, folclóricas y poéticas. Fundó y ha dirigido la revista «Gallo» (dos números, Granada, [año] 1928).

Como dibujante y pintor se presentó en Barcelona en una exposición de sus obras (1927). Pianista y folclorista, ha transcrito y armonizado romances y canciones populares y ha impresionado discos de sus versiones, en colaboración con la «Argentinita». [Otra de sus actividades es «La Barraca», Teatro Universitario, que dirige en colaboración con Eduardo Ugarte, para representar por estudiantes obras de teatro clásico y moderno]. Estado, célibe.

Las palabras entre corchetes corresponden a añadidos que se hacen en la versión ampliada en 1934 de aquella antología, impresa con el título *Poesía española (contemporáneos).* En las dos se percibe esa sonrisa medio burlona de Lorca: la imprecisión de la fecha de nacimiento, que sin embargo recalca su intención de no romper con la tradición literaria del siglo XIX; la suave ironía al hablar de sus deseados e inexistentes viajes por Europa; y ese «estado: célibe», lleno de sal, que concluye el texto. No será lícito, pues, rebasar en exceso los límites que el poeta mismo escoge para el relato de su vida.

Porque con Lorca ha sucedido algo no muy habitual. A diferencia de tantos escritores cuya vida ignoramos o conocemos muy someramente, es muy posible que nuestro saber de la biografía de Federico resulte excesivo. Quizá ese conocimiento mediatice la interpretación de sus escritos.

Acaso ha contribuido a ello su propia personalidad, atractiva y absorbente (Buñuel llegó a decir que «la obra maestra era él»). También la popularidad que alcanzó en toda España en su doble vertiente de poeta, autor del *Romancero gitano,* y de dramaturgo con el estreno emblemático de *Yerma;* sin olvidar su proyección como director de «La Barraca», que hizo que fuera conocido «en persona» en ambientes cultos y en aldeas casi olvidadas. Catalán honorario de la mano de los Dalí y de la de Margarita Xirgu, entra también en todas las antologías de poesía gallega contemporánea, unido a sus amigos de la generación Nós. Las tristes circunstancias de su asesinato lo convirtieron por muchos años en un símbolo que, políticamente, no podían ni debían olvidar ni el exilio exterior (la España peregrina) ni el interior (la España anacorética).

Cuando en la posguerra se pensó que su literatura estaba sobrepasada, pero todo lo anterior hacía de él un mito insoslayable y útil, la crítica se sustituyó por la biografía. La tendencia, ay, aún perdura.

Por ello, para evitar la abundante bibliografía, no siempre honrada ni necesaria, que se ha ido urdiendo alrededor del Lorca personaje, he preferido dejar la palabra al escritor y limitarme a glosar, mientras sea posible, lo que él quiso decir de sí mismo. Volvamos, por tanto, a su relato.

Comienza con la evocación de sus padres y de su familia, a los que siempre se sentirá muy ligado. Ya en 1928, poco después de la publicación del *Romancero gitano,* al responder a una encuesta de Giménez Caballero para la *Gaceta Literaria,* se había definido comenzando por ellos:

> Mi padre, agricultor, hombre rico, emprendedor, buen caballista. Mi madre, de fina familia. Mi familia hizo crac en el siglo pasado. Ahora, resurge otra vez [...] Mi padre se casó viudo con mi madre. Mi infancia es la obsesión de unos cubiertos de plata y de unos retratos de aquella otra «que pudo ser mi madre», Matilde de Palacios. Mi infancia es aprender letras y música con mi madre, ser un niño rico en el pueblo, un mandón [VI, 492-493].

Don Federico García Rodríguez era propietario de tierras en los términos de Fuente Vaqueros, en zona de regadío, y más tarde en Asquerosa, luego rebautizado como Valderrubio —aunque el poeta, por su cuenta, lo había confirmado como Vega de Zujaira—, en el secano, ambos en la Vega de Granada. Doña Vicenta Lorca Romero, cuando se casó en 1897, era maestra del primero de los dos pueblos. El 5 de junio de 1898 nació Federico, el primero de los hijos; a él le siguieron Luis, que murió pronto, Francisco, Concha e Isabel.

Una enfermedad infantil le dejó a Federico como secuela una cierta torpeza para andar; en ocasiones él atribuye a esta falta de agilidad sus principios de narrador y de recitador: al no poder seguir a los demás niños, se los atrae contándoles historias. Un teatrillo de cartón, con figuritas que se mueven sobre tiras de cartulina o de madera, fue su primer juguete.

La infancia en Fuente Vaqueros y las estancias posteriores en Valderrubio, la profesión de su padre, protegerán el fondo campesino de su poesía:

> Sin este mi amor a la tierra, no hubiera podido escribir *Bodas de sangre*. Y no hubiera tampoco empezado mi próxima obra: *Yerma*. En la tierra encuentro una profunda sugestión de pobreza. Y amo la pobreza por sobre todas las cosas. No la pobreza sórdida y hambrienta, sino la pobreza bienaventurada, simple, humilde, como el pan moreno [VI, 638].

Esta infancia profundamente rural se acaba al comenzar el bachillerato. Lo empezará en Almería al cuidado de su maestro de primeras letras, don Antonio Rodríguez Espinosa, amigo de sus padres y al que siempre ha de recordar con cariño, que se había trasladado a aquella ciudad para dirigir la escuela del Hospicio.

Sin embargo, poco va a estar cerca de don Antonio. Una enfermedad, posiblemente la que en la época se llamaba garrotillo, hace que vuelva con su familia. Su padre abre casa en Granada (1909) para que los hijos puedan seguir sus estudios. La casa de Valderrubio será entonces el sitio de las vacaciones y los descansos.

De la Vega viene Dolores, la Colorina, que entró como nodriza de Francisco y seguirá siempre unida a la familia Lorca. Francisco escuchará «un vago eco de este personaje real» en todas las criadas del teatro de su hermano. Y de ella aprende Federico muchas de sus palabras más vivaces.

Hacia los catorce años empezó a interesarse con seriedad por la música, su primera vocación artística, a la que pensó en dedicarse formalmente. Llegó a ser un excelente pianista (podemos oírlo acompañando a *la Argentinita),* a tocar la guitarra con soltura e incluso a intentar componer. La muerte de su profesor, don Antonio Segura, en 1916, y la oposición de sus padres a que continúe sus estudios en París, harán que cambie este arte por el de la literatura. Si hacemos caso a las palabras del poeta, «salió hacia el bien de la literatura» el 15 de octubre de 1916.

En este curso, ya en la Universidad, viaja por Castilla y Galicia con otros alumnos y con su profesor de Arte, don Martín Domínguez Berrueta. Algunas notas tomadas en este periplo se publican como artículos periodísticos: luego, corregidos y con otros capítulos añadidos, formarán parte de *Impresiones y paisajes* (1918), su primer libro editado. En una excursión anterior a Úbeda y Baeza había conocido a Antonio Machado. El poeta mayor leyó a los estudiantes su poema *La tierra de Alvargonzález,* que Lorca, años después, escenificará.

Entre 1917 y 1920 Lorca escribe febrilmente prosa, teatro y poesía. Todo, salvo los poemas escogidos en 1921 en su *Libro de poemas,* quedará inédito hasta ahora mismo. Es una obra primeriza; su interés reside en que algunos de sus temas, alguna de las preocupaciones, esencialmente éticas, e incluso algunos procedimientos estilísticos saltarán de la adolescencia para convertirse en permanentes y alcanzar a sus obras mayores.

El poeta no es un buen estudiante. Más bien es, como dice su hermano, un «estudiante nominal», que prefiere la biblioteca o la tertulia con sus amigos —el grupo de «El Rinconcillo»— a las aulas. Cuando acaba el curso común y tiene que decidir entre las carreras de Derecho o Filosofía y Letras se inclina por esta última. Pronto tropezará con dificultades en algunas asignaturas, y entonces intentará probar fortuna con

Derecho, aparentemente más sencillo; acabará la carrera, a trancas y barrancas, en 1923. Más que el título y más que el ejercicio de la profesión, que nunca intentó, a Lorca le interesaba la literatura, llegar a ser escritor. Como las clases no le ayudan, prefiere la conversación con sus contemporáneos, el grupo granadino de «El Rinconcillo» del café Alameda, en el que acompañan a nuestro poeta los que van a ser sus amigos para siempre, y con los que a veces se reúnen visitantes de interés; José Mora [1958] da cumplida cuenta de la tertulia y sus componentes duraderos o esporádicos. En ella se hablaba de literatura, de música, de arte; pero también de sentimientos, de filosofía, de religión y de política: eran los años de la guerra europea. Todas estas preocupaciones dejan su huella en las obras juveniles de Lorca, recientemente editadas.

Pero la vida en Granada sólo proporciona fama local, y Federico está decidido a ser escritor y a ser reconocido como tal por todos. Para ello cree que tiene que ir a Madrid. Su padre, que piensa que su hijo mayor no acabará nunca la carrera [«Mira, Paco, tu hermano se empeña en ir a Madrid, sin otro propósito que el de estar allí. Lo dejo porque estoy convencido de que él no va a hacer lo que yo quiera. Él hará lo que le dé la gana —mi padre empleó una frase mucho más enérgica—, que es lo que ha hecho desde que nació. Yo no sé si sirve o no sirve para escribir, pero como es lo único que va a hacer, yo no tengo más remedio que ayudarlo. Con que ya lo sabes». Francisco García Lorca, 1980: 95] se aconseja de don Fernando de los Ríos y, con la recomendación de éste, el poeta entrará en la Residencia de Estudiantes. Allí amistará con José Bello, Juan Vicens, Luis Buñuel, Salvador Dalí y con algunos poetas mayores en edad, como José Moreno Villa, Jorge Guillén, Dámaso Alonso, Emilio Prados o Pedro Salinas. Allí, con amigos y amigos de amigos, se forjará lo que se conoce como Generación del 27.

En 1920 Gregorio Martínez Sierra, director artístico de la compañía de Catalina Bárcena, le estrena *El maleficio de la mariposa,* su primera obra teatral. El título, que se debe al director de escena, horroriza al poeta, que tiene por gafe la palabra «maleficio». Martínez Sierra, con su montaje, hizo que pareciera cursi hasta el baile en el papel de la Mariposa de Encarnación López *la Argentinita,* muy amiga de García Lorca. El fracaso fue total, el pateo monstruoso. La obra, de aire maeterlinkiano, no se salvó. Martínez Sierra, escarmentado, detuvo por años el estreno de *Mariana Pineda.*

Entre 1921 y 1925, la actividad de García Lorca se multiplica. Comienza sucesivamente tres libros de poemas, en que trabaja simultáneamente: *Suites,* que quedará inédito y desconocido en su diseño original; *Canciones,* que se publicará en 1925, y el *Poema del cante jondo,* acabado en primera versión a principios de 1922, pero que no tomará su forma definitiva para ser editado hasta 1931. En 1922, con apoyo y ayuda de Falla, organiza en Granada la «Fiesta del cante jondo». Para preparar al público y convencer a las remisas autoridades locales, leerá la conferencia *Importancia histórica y artística del primitivo canto andaluz llamado «cante jondo»,* que, años después, se transformará en *Arquitectura del cante jondo.* Por estas mismas fechas comienza la ópera cómica en un acto *Lola la comedianta,* a la que tenía que poner música Falla: el proyecto no cuaja, parece ser que por falta de coincidencia de tiempos entre poeta y músico; pero sí termina una primera versión de la *Tragicomedia de Don Cristóbal y la señá Rosita,* con la que inicia sus experimentos con el teatro de títeres, tan importante para la concepción de varias de sus obras mayores. También con marionetas, y con la colaboración de Falla, organiza en Granada una fiesta en Reyes de 1923 para los niños: para ella escribe *La niña que riega la albahaca y el príncipe preguntón.*

En el mismo año escribe *Mariana Pineda,* con motivos y procedimientos distintos a los de su primera obra. Se la entrega de nuevo a Martínez Sierra para el Teatro Eslava de Madrid. La obra, que recrea la historia y leyenda de la granadina agarrotada por el amor y la libertad, asusta al pusilánime director, que teme que pueda ser entendida como un panfleto contra la dictadura de Primo de Rivera, proclamada el 13 de setiembre de 1923, y que en esos pocos meses ya había desterrado a Unamuno, tan admirado por Lorca, y destituido a Fernando de los Ríos. Federico rehará la obra, pero sólo la podrá estrenar en junio de 1927, ya con Margarita Xirgu, cuando el poeta es conocido por los romances gitanos, en los que comienza a pensar como libro en 1924, y antes publicados en revistas y recitados personalmente.

Tras una estancia en Cadaqués invitado por la familia Dalí, en 1925 empieza a escribir los *Diálogos,* alguno de los cuales —como «El paseo de Buster Keaton»— integra elementos formales surrealistas y anuncia lo que va a ser el llamado «teatro imposible». Lorca mantendrá siempre sus distancias con la ortodoxia del movimiento surrealista, al menos tal como se expresa en el *Primer Manifiesto* (1924) de André Breton, pero siempre tendrá en cuenta en su obra este referente estético y, sobre todo, ético, del que participan sus amigos Buñuel y Dalí. Otros diálogos contemporáneos —el «Diálogo del Amargo», que se imprime con el *Poema del cante jondo*— señalan otros caminos de su búsqueda estética.

Mientras continúa la redacción del *Romancero gitano* y reestructura *Canciones,* que publicará en 1927 Emilio Prados en la colección de la revista *Litoral* de Málaga, Lorca empieza a preocuparse por la poesía del barroco, otro de los vectores que cimentan su obra. En 1926 dicta las importantes conferencias *La imagen poética de don Luis de Góngora* y *Homenaje a Soto de Rojas.* La lectura meditada del poeta cordobés se deja ver en algunos de los poemas que escribe en este momento: «Oda a Salvador Dalí» —acaso el germen de su nonato *Libro de las Odas*—, «Soledad insegura», «La sirena y el carabinero», «Soledad». El mismo año termina la primera versión de *La zapatera prodigiosa* y redacta lo fundamental de *Amores de Don Perlimplín con Belisa en su jardín.*

El año 1927 es crucial para la Generación y para Lorca. Se imprime *Canciones,* donde la voz del poeta suena ya totalmente en sazón. Su propósito —y se deben leer juntos los tres libros, como él quería— era darlo a la luz junto al *Poema del cante jondo* y *Suites:* los tres responden a un esquema muy semejante, con muy matizadas diferencias; pero sólo el primero se editó entonces.

En febrero tiene noticias de que Margarita Xirgu empieza a trabajar en su *Mariana Pineda.* Lorca y Dalí se ponen a diseñar febrilmente los decorados y los trajes. La obra se estrena en Barcelona el 24 de junio, coincidiendo con la exposición de dibujos del poeta en la Galería Dalmau, organizada por sus amigos catalanes: Lorca, poeta, dramaturgo y músico, se revela también para el público como artista plástico de interés (antes, en 1922 o 1923, había montado un par de exposiciones en Granada, sólo para amigos). Mientras tanto se ocupa en su tragedia *El sacrificio de Ifigenia,* hoy perdida. En diciembre, Ignacio Sánchez Mejías, torero y escritor, amigo de Lorca y de los poetas, organiza la famosa «salida de la generación» —así la llama Jorge Guillén— por invitación del Ateneo de Sevilla; allí conoce a Fernando Villalón, Joaquín Romero Murube y Luis Cernuda.

Al año siguiente, 1928, aparece su revista *Gallo* como expresión del arte joven de Granada. Piensa en la publicación de un libro de dibujos y poemas al alimón con Salvador Dalí; se llamará *Los putrefactos,* nombre-denuesto inventado posiblemente por José Bello y pronto difundido entre los intelectuales, incluso entre los que no tenían relación con el grupo de la Residencia [Santos Torroella, 1995]; el pintor preparó los dibujos, pero el poeta no escribió el texto esperado. En julio sale el *Primer romancero gitano;* el éxito popular es instantáneo, pero encuentra detractores precisamente entre sus mejores amigos —Dalí, Buñuel—, que le reprochan el no seguir las corrientes de moda en la literatura y en el arte. Es posible que estos reparos le lleven a interesarse más profundamente por la estética y la ética —el poeta no estaba muy lejos de ésta— surrealistas. El resultado son las tres conferencias que lee este año, contrapunto de la dicha en 1926 sobre la imagen gongorina: por una parte *Sketch de la nueva pintura* e *Imaginación, inspiración, evasión;* por otra, *Canciones de cuna españolas,* que le interesan por su frescura, su irracionalidad y su fondo de crueldad, a la vez que se puede hallar en ellas la subconsciencia colectiva y el origen de la cultura del hombre y del pueblo en la niñez de ambos. Colabora a esta búsqueda de nueva expresión, junto a la crisis estética, una posible crisis sentimental: para las dos tiene que buscar salida. A la luz de esta doble idea, a la que se ha de unir la de un irrenunciable rigor formal, debe leerse la magnífica «Oda al Santísimo Sacramento», dedicada a Manuel de Falla.

En 1929, el grupo de teatro experimental *El caracol,* que dirigía Cipriano Rivas Cherif, intentó estrenar *Don Perlimplín.* La función se vio impedida por la absurda censura de la dictadura, más atrabiliaria todavía en sus últimos tiempos. Margarita Xirgu prepara el estreno de *La zapatera prodigiosa,* que no podrá representarse en este momento por una enfermedad grave y una lenta convalecencia de la actriz.

El 11 de junio sale, vía París y Londres, para Nueva York, adonde llega el 25. Le acompaña en el viaje Fernando de los Ríos. Allí lo esperan Federico de Onís y Ángel del Río, profesores en la Universidad de Columbia, en la que Federico va a residir durante toda su estancia, con el paréntesis de las vacaciones de agosto, que pasa en las orillas del lago Eden, en Vermont. En Nueva York presencia los momentos más feroces del desplome de Wall Street, y empieza a tener conciencia de sus consecuencias [VI, 1094]. Desde ellas comienza a comprender y rechazar la ascensión de los fascismos en Europa. La respuesta del poeta es un acendramiento que se materializa en *Poeta en Nueva York, El público* y en el germen de *Así que pasen cinco años.* Redacta también el guión cinematográfico *Viaje a la luna.*

Pero no todo es negativo en Nueva York. En esa ciudad Lorca contempló muchos aspectos positivos entre tantos que producían la deshumanización de la civilización nueva. Lo más patente es el descubrimiento de Harlem y sus formas culturales negras: el jazz y el teatro que se hacía en ese barrio, incluido el de cabaret; pero también la convivencia de hombres de razas y culturas distintas, la libertad personal fuera de viejas convenciones [VI, 1052-1098].

A principios de marzo de 1930 deja la gran ciudad para ir, invitado, a Cuba. Hasta mediados de junio viaja por la isla, escribe el poema «Son de negros en Cuba», que cierra el libro neoyorquino, y pronuncia una veintena de conferencias. Desde allí emprende el regreso a España, cuya situación política («un volcán») ha ido siguiendo con preocupación. En este viaje debió escribir la «Oda a Walt Whitman».

A su llegada se encuentra con el país en plena efervescencia política: ha caído Primo de Rivera, ha vuelto triunfalmente Unamuno, y se respira el próximo advenimiento de la República. En la Nochebuena, Margarita Xirgu estrena en el Teatro Español *La zapatera prodigiosa*. Al año siguiente se edita el *Poema del cante jondo*. En verano, García Lorca escribe el *Retablillo de Don Cristóbal* y el 19 de agosto termina *Así que pasen cinco años*. En otoño, por encargo del Ministerio de Instrucción Pública, va madurando el proyecto de creación de un teatro universitario y popular, ambulante y gratuito, que dé a conocer las obras del teatro clásico en los pueblos de España. El proyecto cristalizará en La Barraca, que cimenta la fama europea de nuestro poeta como director teatral.

A La Barraca consagra casi todo su tiempo en los tres años que siguen, pero, aunque más lentamente, no por eso deja de escribir. La labor de organización y dirección se comparte con la escritura de *Bodas de sangre* —que se estrenará en marzo de 1933— y con el comienzo de *Yerma,* cuyos dos primeros actos lee a Margarita Xirgu en setiembre. En 1932 dará varias veces su conferencia-recital sobre *Poeta en Nueva York*. En verano comienzan las representaciones de La Barraca.

Invitado por el Comité de Cooperación Intelectual gallego, hizo su segundo viaje por Galicia durante mayo de 1932; el periplo es tan feliz que volverá por su cuenta a finales de año. Allí y entonces concibe el propósito de escribir poemas en la lengua de Rosalía. Tan a pecho se lo toma que en una entrevista posterior dice: «Me siento un poeta gallego». Y aunque el único poema publicado en gallego era el «Madrigal â cibdá de Santiago», ya entonces sus poesías en esta lengua eran conocidas y celebradas. Este mismo año, por encargo de Ignacio Sánchez Mejías, prepara el espectáculo de baile folclórico *El café de Chinitas* para Encarnación López, *la Argentinita,* comadre del poeta.

Llamado por Lola Membrives, que ha obtenido un gran éxito en Buenos Aires con *Bodas de Sangre,* Federico García Lorca viaja a esa ciudad entre octubre de 1933 y abril de 1934 como director de la compañía. Se representan, además de *Bodas, Mariana Pineda* y una adaptación de *La dama boba,* de Lope. Es el primer éxito popular y comercial de García Lorca en el teatro. La actriz le fuerza a componer una versión de *La zapatera prodigiosa* que se adapte a sus características de cantante y bailarina [VI, 1142]; Lorca le complace montando un fin de fiesta con canciones tradicionales y modificando con añadidos el texto que Margarita Xirgu había estrenado en Madrid.

En Buenos Aires coincide con Pablo Neruda, con el que pronunciará el *Discurso al alimón sobre Rubén Darío;* ilustra con dibujos varios poemas del poeta chileno y entabla con él una amistad que sólo se cerrará con la muerte de Federico. También se reencontrará con el poeta Ricardo Molinari, quien le presenta a Salvador Novo, figura capital del grupo mexicano de «Los Contemporáneos».

De vuelta en España se tropieza con que el triunfo de la coalición de las derechas ha suprimido la subvención para La Barraca, interrumpiendo su proyecto más querido.

El 13 de agosto de 1934 muere su amigo Ignacio Sánchez Mejías; Lorca escribe su *Llanto* entre esta fecha y el cuatro de octubre, momento de su primera lectura. En verano prepara el manuscrito de *Diván del Tamarit,* que iba a ser editado por la Universidad de Granada con un prólogo del amigo y arabista Emilio García Gómez. Sin que sepamos el porqué, el libro quedó en capillas; se publicó póstumo en 1940, en la *Revista*

Hispánica Moderna de Nueva York, al cuidado de Francisco García Lorca y Ángel del Río.

En octubre de 1934 la huelga general que declaran el partido socialista y la UGT se reprime brutalmente en Cataluña y, más aún, en Asturias, con la intervención del ejército mandado por el general Franco. Federico García Lorca, aunque no tenga una particular posición política partidista, se alinea con la izquierda o, acaso mejor, con los que menos tienen; el 15 de diciembre declara: «En este mundo yo siempre soy y seré partidario de los pobres. Yo siempre seré partidario de los que no tienen nada y hasta la tranquilidad de la nada se les niega» [VI, 656].

A fin de año Margarita Xirgu estrena *Yerma,* con éxito popular, pero que suscita la reacción furiosa, incluso insultante, de la derecha menos civilizada. En la centésima representación Lorca leyó el *Llanto por Ignacio Sánchez Mejías,* que publicará poco más adelante José Bergamín en la colección *El árbol,* de *Cruz y Raya,* con ilustraciones de José Caballero.

Los actores de Madrid, que tienen interés por conocer *Yerma* y su montaje, le piden a Margarita Xirgu y al poeta una representación para ellos. Actriz y poeta acceden; la función se hace en la madrugada del 1 de febrero, y entre los actos primero y segundo Lorca leerá la importantísima *Charla sobre teatro,* que tanto ilumina sobre la intención del poeta en sus últimas obras. Basándose en el episodio de la romería de *Yerma,* escribe en colaboración con Rivas Cherif el argumento y libreto de *La romería de los cornudos,* ballet para Antonia Mercé, *la Argentina,* al que pondrá música Gustavo Pittaluga.

Con mucho éxito, Margarita Xirgu estrena en Barcelona *Doña Rosita la soltera.* Lorca invita a las floristas de la Rambla a una de las primeras representaciones: a ellas dedica el poeta unas palabras [VI, 442-443]. En este mismo 1935 empieza Lorca a preparar la edición de *Poeta en Nueva York,* comenzado en 1929; lo concibe como un libro en que los poemas se articularán con fotografías, que unas veces son documentales, otras montajes, otras más puros collages; las fotografías han de servir de epígrafes a las partes en que se distribuye la obra. El libro no se editará hasta 1940, en dos ediciones casi simultáneas, pero con importantes variantes, y las dos faltas de la parte gráfica. También trabaja Lorca en otro libro cuyo título podía ser tanto *Sonetos,* como *Jardín de los sonetos* o *Sonetos del amor oscuro,* nombre con el que se ha publicado recientemente la parte conservada. A fin de año sus amigos de Galicia, los reunidos alrededor de la revista *Nós,* publican los *Seis poemas galegos,* con prólogo de Eduardo Blanco Amor.

En 1936, Federico García Lorca da un manojo de poemas a su amigo Manuel Altolaguirre como regalo por su boda con Concha Méndez; el novio los imprime con el título de *Primeras canciones.* Le sigue de cerca la edición de *Bodas de sangre.*

Con ilusión, Lorca piensa el montaje de la primera de sus obras del «teatro imposible», *Así que pasen cinco años,* que se iba a estrenar en el Club Anfistora; el estallido de la guerra civil impedirá la representación. Mientras, trabaja en la *Comedia sin título,* en *Los sueños de mi prima Aurelia* y en LA CASA DE BERNARDA ALBA. Sólo esta última se concluirá, fechada el viernes 19 de junio de 1936. Margarita Xirgu, que ha emprendido una gira americana de la que ya no va a volver, llama al poeta, pero éste da largas a su viaje porque quiere pasar en Granada el 18 de julio, día de su santo y del de su padre. Antes de salir de Madrid para su ciudad deja en el despacho de Bergamín el manuscrito de *Poeta en Nueva York,* incompleto y en telar; a Martínez Nadal le da, para que se lo guarde, un borrador de *El Público.* El 13 de julio, día del asesinato de Calvo Sotelo, sale para Granada. El 18 estalla la guerra, y Granada, a partir del 20, queda en manos de los sublevados. Al amanecer del día 16 de agosto fusilan a Manuel Fernández Montesinos, cuñado de Lorca y alcalde de Granada. El 19, cinco años después de fechar *Así que pasen cinco años,* matan al poeta en Víznar. La partida de defunción dice que «falleció en el mes de agosto de 1936 a consecuencia de heridas producidas por hecho de guerra».

Pasan nueve años. El 20 de enero de 1945 Margarita Xirgu le escribe a Isabel Pradas (la Adela del estreno) que don Julio Fuensalida, del que nada se sabe, le ha entregado un apógrafo de LA CASA DE BERNARDA ALBA. Sin pérdida de tiempo escoge las actrices, encarga los decorados a Santiago Ontañón, que ya había trabajado para Lorca, y la estrena el 8 de marzo en el Teatro Avenida de Buenos Aires. El manuscrito servirá para la edición cuidada por Guillermo de Torre, en la colección popular de Losada Argentina.

Hay noticias, no sé si muy dignas de crédito, de una edición anterior en Caracas (*El Universal,* 1938: alude a ella Torrente Ballester), y, según Carlos Martínez en *Crónica de una emigración,* de un estreno en el Teatro Bellas Artes de México en la temporada 1940-1941, por la compañía de Pepita Meliá y Benito Cibrián. No puedo comprobar ninguno de estos datos.

LA CASA DE BERNARDA ALBA

Representaciones y recepción

Cuando en marzo de 1945 se estrenó LA CASA DE BERNARDA ALBA en el Teatro Avenida de Buenos Aires, hacía ya nueve años que su autor había muerto. De sus compatriotas, únicamente los exiliados pudieron asistir a aquellas representaciones. En España sólo se pudo leer con muchas dificultades, porque se prohibió la edición argentina. Hubo que esperar a 1954 para que viera la luz aquí, incluida en unas Obras Completas, en una edición de «las de Aguilar», lejos de la economía de los lectores que pudiéramos llamar normales. Sirvió, sin embargo, para que el grupo aficionado «La Carátula» la representase en función única, sin que la prensa lo reseñase. Habían pasado dieciocho años de la muerte del autor.

En el teatro convencional la posibilidad de ver la obra no llega hasta 1964; el entusiasmo de la actriz venezolana Maritza Caballero contagia a Juan Antonio Bardem, que la monta veintiocho años después del asesinato de Lorca.

El estreno en Buenos Aires había sido glorioso: un autor recordado, convertido en símbolo de la represión franquista, representado por Margarita Xirgu, otra figura emblemática. Pero ni las circunstancias, ni el tiempo, ni el público, eran los que Lorca había escogido para que viesen el nacimiento sobre las tablas de la que iba a ser su última obra teatral.

Cuando LA CASA DE BERNARDA ALBA llega a España, la distancia es aún mayor. Desde 1935, fecha del último estreno de Lorca, a 1964 habían cambiado demasiado las circunstancias, y con ellas el público y los críticos. Faltaba el conocimiento de lo que se escribía antes de la guerra civil; la censura había producido una solución de continuidad. También de unión con lo que se hacía en el mundo: el teatro español, escapista casi siempre, no se parecía en nada al que se veía más allá de las fronteras. Algunos, aquí, intentaban, con desigual fortuna, un teatro social y políticamente revolucionario: era el momento del compromiso y de la búsqueda del mensaje.

Como la crítica, al mitificar a Lorca, «poeta del pueblo» [Barea, 1956], había ideologizado LA CASA, definiéndola como espejo de una sociedad semifeudal, que profetizaba la guerra civil y sus consecuencias, se pensó que su representación podía ser un arma para la corriente del «realismo crítico», más o menos estalinista, que se oponía, también más o menos teóricamente, a la dictadura franquista.

Pero Lorca, que escribía en un tiempo en que el pueblo había salido de la dictadura de Primo de Rivera y que había vencido en las urnas a un incipiente fascismo, no participaba de los presupuestos del arte instrumentalizado; mucho antes, al ser preguntado por las relaciones entre arte y política, había contestado: «El artista debe ser única y exclusivamente eso: artista. Con dar todo lo que tenga dentro de sí como poeta, como pintor..., ya hace bastante» [VI, 545]. Más adelante aún reprochará explícitamente el dogmatismo político de Piscator [VI, 711].

Por no hacer caso a estas palabras, por querer dar un viso político y social ajeno a la intención del autor, rechinaba el meritorio montaje de Bardem, que logró un efecto inverso al que buscaba, desilusionando de Lorca a críticos, espectadores y escritores.

A los críticos porque, roto su horizonte de expectativas, se veían forzados a una lectura sesgada, acentuando lo que en Lorca es, si es, mero marco y diluyendo el problema de la condición humana, esencial en el poeta; a veces dejan asomar su desengaño, al ver hecho hombre al mito que habían creado o leído en otros. Lorca deja de ser un autor vivo para hacerse un «clásico» en el mal sentido de la palabra, es decir algo que es irremediable, pero ya periclitado, un momento de la historia, pero no un modelo para un teatro nuevo, acorde con los tiempos; los críticos más radicales hablan del mito muerto. Ejemplos de ello hay en el número 50 de la revista *Primer acto* (febrero de 1954), concebido para dar cuenta del estreno madrileño.

A los espectadores ingenuos de aquel montaje nos desconcertaba advertir una falta de correspondencia entre lo que se veía y lo que se oía; y ninguna de las dos cosas concordaba con lo que habíamos creído entender con la lectura de la obra. Y, por argumento de autoridad, quizá estábamos equivocados.

Entre las dos corrientes críticas, los escritores y lectores más jóvenes, los aprendices, nos extraviábamos. Según como se leyera, Lorca o no es político o lo es demasiado; o no es «popular» o es populista; o es un revolucionario en estado puro o es el último representante de la España que se quisiera ver borrada, un esteta. Lorca, en la confusión, vuelve a alejarse, ahora literariamente, de nosotros. Lorca, si salvamos a algún escritor clarividente, como Martín Santos, no podía tomarse ni como modelo ni como maestro.

Cercana a esta crítica sedicente revolucionaria, pero con resultados mucho más ricos, se desarrolla en Europa una interpretación directamente marxista, que estudia la obra como reflejo de una sociedad tradicional, con estructuras de poder basadas en factores económicos que necesitan de la represión para sostenerse, que se apoyan en una ética irracional, caracterizada por la actuación de una fuerza —disfraz de una debilidad esencial— que unas apariencias o símbolos obsoletos transforman en autoridad; una autoridad que no puede admitir la existencia de otros valores que los que le sirven de justificación. Cualquier comportamiento diferente ha de ser eliminado del contorno social. En el caso de Bernarda, por ejemplo, Poncia ha de plegarse por la enajenación de su trabajo, la mendiga es arrojada como no productiva, los comportamientos «anormales» son siempre de los forasteros —con un cierto cariz xenófobo—, y han de ser castigados y excluidos. Los disidentes interiores o se hacen marginar por la locura —María Josefa— o son dirigidos hacia un suicidio que, por ser indicio de rebelión, ha de ser ocultado por la censura más allá de la muerte, como sucede con Adela. Pero Adela, María Josefa, los segadores, son el anuncio de una nueva moral, la de los perseguidos, anuncio de una libertad del hombre y la sociedad.

Junto a la marxista, a veces en paralelo a ella, a veces en confluencia, va a crecer una interpretación psicoanalítica, con apoyos en Freud o Jung, en muchas ocasiones pasados por el cedazo de Lacan. Desde este punto de vista, LA CASA es alegoría de la represión sexual. Bernarda simboliza la protección materna en sus puntos álgidos, hasta tornarse enfermiza. Esta égida *paternalista,* que veda el desarrollo y madurez de las hijas, refluye en emblema de un poder tiránico: la falta de hombre dominante —subrayada por la presencia de la muerte desde las primeras escenas— implica su sustitución por la madre dominadora en un mundo de estructuras represivas. Para patentizarlo, Bernarda se caracteriza con un bastón, indicio de autoridad, pero también símbolo fálico: el momento climático de la rebelión se marca con Adela quebrando la vara. El montaje de Ángel Facio (1976) llevaba al paroxismo esta interpretación, al hacer que el papel de Bernarda fuese asumido por un actor, y al sustituir el decorado descrito por Lorca por un espacio asfixiante, blando y protector como el útero materno.

De aquí se llega fácilmente a una lectura feminista de la obra, y más si se potencia el hecho de que el reparto está formado exclusivamente por mujeres. Esta visión advertirá que la perspectiva de Lorca corresponde a un mundo estructuralmente masculino, a pesar de su simpatía por los personajes femeninos; se estudiará cómo el encierro y castigo de las agonistas se debe a su sexo, pecado original; se subrayará cómo la propia mujer —Bernarda—, alienada, asume como natural esta condena; en definitiva, la obra ejemplifica el sometimiento de la mujer en un mundo en que todas las estructuras han sido elaboradas por el hombre. En LA CASA, como en el resto de las obras de Lorca, no se da ninguna solución: la única posibilidad de redención que señala es la erótica. Pero para alcanzarla, la mujer necesita de la colaboración del hombre, al que ha de supeditarse e incluso acreditar si él no tiene méritos para ello. Gran parte de la crítica hecha por estudiosas norteamericanas en los años ochenta se orienta en este sentido.

Entre tanto, lentamente, se abre paso una corriente crítica, libre de prejuicios, que valora la obra de Lorca, y dentro de ella LA CASA DE BERNARDA ALBA, simplemente como una obra literaria, imaginada y escrita, ineludiblemente, en un momento de las series literaria, cultural e histórica que ha definido Lotman, condicionantes necesarias de autor y obra, dirigida ésta en primera instancia a un público que comparte las mismas coordenadas. Para crear el texto el artista utiliza estos elementos, sin dejarse aherrojar por ellos ni convertirlo en un panfleto, que duraría vivo sólo mientras se mantengan las condiciones «objetivas» que presiden el momento de su escritura.

García Lorca, por el contrario, atraviesa la red que suponen las series lotmanianas y consigue que su obra tenga validez más allá del aquí y ahora en que fue escrita; que interese a quienes viven en circunstancias muy diversas a las que fueron las suyas, para disfrutar de su valor estético, de la expresión bella y precisa de la condición humana y de las relaciones más duraderas entre las personas de cualquier país, idioma o tiempo, fuera de consideraciones políticas o sociológicas. Con voz útil para cualquier buen lector que se reconozca en su poesía, sin limitaciones. Útil fue Lorca, por ejemplo, para el poeta norteamericano Philip Levine (y remitimos a sus palabras en el tomo 10-11 del *Boletín de la Fundación Federico García Lorca*).

De esta salvación del instante para entregarlo al reino más duradero de los valores poéticos fueron primeros artífices estudiosos como Francisco García Lorca, Marie Laffranque, André Belamich, Berenguer Carisomo; también María Zambrano, Daniel Devoto, Miguel García Posada, Eisenberg, Andrew A. Anderson, Mario Hernández, Miriam Balboa, Fernández Cifuentes, García Montero y, en definitiva, la crítica posterior a la primera mitad de los años setenta.

Los últimos montajes teatrales de LA CASA DE BERNARDA ALBA se van acercando a esta teoría, evitando manipulaciones partidistas. Esta postura es muy clara tanto en el de José Carlos Plaza (1984) como en el de Nuria Espert (1986), tan en la huella de Víctor García. Es significativo que la Espert pidiese a sus actrices —Glenda Jackson, Joan Plowright, Patricia Hayes— que se acercasen al mundo de LA CASA DE BERNARDA ALBA, y en definitiva al de Federico García Lorca, sin prejuicios, que creyesen en él y en sus personajes «como creían en los personajes de Shakespeare, de Ibsen, de Shaw o de Chéjov», es decir, como seres, texto y mundo ajenos a cualquier color local.

Intertexto y género

Si la bibliografía sobre Lorca es un selva, la parcela de ella que implica a LA CASA DE BERNARDA ALBA es una de las más extensas y enmarañadas. Era casi obligado, dada la posición polar de la obra, considerada la más madura del poeta. Los estudiosos la han enfocado con perspectivas muy diversas y, basándose en ellas, la han interpretado de maneras muy distintas (a algunas de ellas hemos aludido arriba). Lo que hizo que se considerase más que los otros escritos de Lorca fue su indudable enraizamiento con las otras obras del poeta, y no sólo las dramáticas; y, a la vez, las sensibles diferencias que presenta con aquéllas. Sucede como si Lorca utilizase como trampolín lo que había escrito con anterioridad y diese un salto para superarlo. El estudio de Lázaro Carreter [1960] es ejemplar para esta consideración.

Así, para unos es la tragedia que culmina la línea iniciada con *Bodas de sangre* y continuada con *Yerma;* es la trilogía rural, ejemplo dramático de la frustración femenina, espejo de la España trágica popular, casi tópica. En otros casos se ha preferido destacar lo que LA CASA DE BERNARDA ALBA tiene de punto de inflexión, de ruptura con el resto de su obra dramática. Se subraya su intención documental, realista, su esencia de fiel reflejo de la «España real»; literariamente, la ausencia de lirismo y por ende, una vez más y con un salto ontológico, su toma de posición social y política.

Piensan todos que si la muerte no hubiese cortado la vida y la carrera teatral más prometedora de España (quién sabe si de Europa), aquí, con esta obra, hubiera nacido el nuevo teatro de Lorca, el que se supone que él buscaba. Se enumera entonces, forzando formas y fondos, todo lo que en LA CASA DE BERNARDA ALBA es diverso del resto de sus piezas, desde *El maleficio de la mariposa* y *Mariana Pineda* a *Doña Rosita la soltera,* casi contemporánea de aquélla. Y se prescinde, porque conviene, de las obras inconclusas o de las que el autor había dado como posibles futuras: *Mi prima Aurelia, Casa de maternidad, La bola negra, Las hijas de Lot,* etc.; y éstas, por lo que el poeta decía y ahora sabemos gracias a Marie Laffranque [1978 y 1987b], enlazan mejor con alguna de las anteriores a LA CASA que con la lectura que hacen de ésta.

Sin embargo, por más que se aseguren en el realismo de LA CASA DE BERNARDA ALBA, en su ausencia de lirismo, nunca son capaces de prescindir de una interpretación simbólica de la expresión, similar a la que acostumbra a acompañar a los estudios que explican la lírica del poeta o sus otras piezas teatrales. Encuentran, porque los hay, los mitologemas peculiares de Lorca, y aun otros nuevos. Argumento, personajes —figuras, e incluso sus nombres—, acontecimientos vistos o narrados, hasta el decorado con sus formas, luces y colores, utillería y vestuario se hacen metáfora o símbolo de algo arcano, esotérico. La obra se confunde con un conjunto de arquetipos, y eso la relaciona con las obras anteriores y, en su razonamiento, la acerca a la tragedia.

Raras veces se ha intentado colocarla en su contexto, entre las obras que Lorca escribe o proyecta al tiempo de su redacción. Porque si LA CASA DE BERNARDA ALBA es la última obra que el autor termina, no es la última en que piensa. Es más, parece como si se hubiese puesto a escribirla por una urgencia personal u obligada; quizá para entregársela a Margarita Xirgu, a quien le había prometido una función con un carácter más fuerte que el de la soltera doña Rosita; y que le hubiese salido de un tirón y en muy poco tiempo, acaso con el único intermedio de un borrador, corregido en la copia manuscrita que ha llegado a nosotros. Para escribirla dejó en telar y a medio hacer dos obras en las que estaba trabajando desde tiempo antes: *Los sueños de mi prima Aurelia* y la llamada *Comedia sin título,* posible transformación de la anunciada *Casa de maternidad.*

Porque Lorca, siempre dispuesto a hablar en cartas y entrevistas de sus proyectos, de las obras que tiene «terminadas» (aunque sólo lo estén en su mente), nunca, nunca, habla de LA CASA DE BERNARDA ALBA. Todas las noticias que tenemos de ella son indirectas. Palabras de sus amigos, de la gente a la que la había leído, promesa a Margarita Xirgu de una comedia en que su papel sea muy distinto a Doña Rosita... No alude a ella en las últimas entrevistas; ni aparece anotada en la *Lista de títulos y proyectos* que, como dice Mario Hernández, puede corresponder a febrero o marzo de 1935 o incluso, como quiere Marie Laffranque [1987b], a fechas posteriores a febrero de 1936. Puede no apuntarla por tener ya muy avanzada su redacción y haber dejado de ser proyecto, pero no por eso deja de extrañar ese inexplicado silencio.

Sea como fuere, para comprender LA CASA DE BERNARDA ALBA y lo que supuso para su autor, será necesario situarla filológicamente en el punto en que se escribió. Ver cuál fue su entorno literario y cultural; porque, si bien es verdad que en Lorca hay una evolución constante por lo que cada obra supone de búsqueda o experimento, hay también una relación favorable o reacción contraria con respecto a lo que los otros hacen, si no con obras concretas, sí con las formas teatrales que tienen vigencia en la época. Lorca, desde su conocimiento progresivo de la técnica teatral y de los temas que pueden resultar interesantes [VI, 675-676, 720 y 717, entre otros lugares], escribe apoyándose en lo que le atrae y en contra de lo que no le gusta o le parece pernicioso. Cuando escribe *La zapatera prodigiosa* la escribe para contraponerla a la «hermosa y amarga lucha con un arte abstracto» que sostienen sus «amigos de París» [VI, 481], porque no le interesa el arte abstracto, deshumanizado, pero sí que le importa la hermosa y amarga lucha. Por eso no renuncia a este tipo de dramaturgia experimental, y la culmina en su «teatro imposible», pero la puede completar humanizándola, dándole estructura y forma que no aleje al público de la representación. Como pasaba con sus amigos de París —Buñuel, Dalí y, a través de ellos, el grupo surrealista—, la teoría y práctica dramática lorquiana se opone, de lleno, al teatro burgués que se arrastra desde el Romanticismo, pero se ha de arriesgar buscando un público distinto:

> El teatro necesita que los personajes que aparezcan en la escena lleven traje de poesía y al mismo tiempo que se les vean los huesos, la sangre. Han de ser tan humanos, tan horrorosamente trágicos y ligados a la vida y al día con una fuerza tal que muestren sus traiciones, que se aprecien sus olores y que salga a los labios toda la valentía de sus palabras llenas de amor o de ascos. Lo que no puede continuar es la supervivencia de los personajes dramáticos que hoy suben a los escenarios llevados de la mano de sus autores. Son perso-

najes huecos, vacíos totalmente, a los que sólo es posible ver a través del chaleco un reloj parado, un hueso falso o una caca de gato de esas que hay en los desvanes. Hoy en España, la generalidad de los autores y de los actores ocupan una zona apenas intermedia. Se escribe en el teatro para el piso principal *[el de los palcos abonados]* y se quedan sin satisfacer la parte de butacas y los pisos del paraíso. Escribir para el piso principal es lo más triste del mundo. El público que va a ver cosas queda defraudado. Y el público virgen, el público ingenuo, que es el pueblo, no comprende cómo se le habla de problemas despreciados por él en los patios de vecindad. En parte tienen la culpa los actores. No es que sean malas personas, pero... «Oiga, Fulanito —aquí un nombre de autor—, quiero que me haga usted una comedia en la que yo... haga de yo. Sí, sí; yo quiero hacer esto y lo otro. Quiero estrenar un traje de primavera. Me gusta tener veintitrés años. No lo olvide. No lo olvide». Y así no se puede hacer teatro. Así lo que se hace es perpetuar una dama joven a través de los tiempos y un galán a despecho de la arterioesclerosis [VI, 730].

Más suavizadas, porque van dirigidas a un público muy caracterizado, las mismas ideas se exponen en la importantísima *Charla sobre teatro* [VI, 427-430].

García Lorca siente, pues, la necesidad de un teatro nuevo, renovado, que se dirija a ese público-pueblo distinto que busca como autor y como director de escena (del Club Anfistora y de La Barraca), y al que quiere ser útil ética y estéticamente. Para ello no se puede revolucionar totalmente el horizonte de expectativas del espectador; ha de dirigirse a él en un código que, en parte al menos, pueda reconocer, aunque la sustancia de la expresión sea siempre la misma, porque, como dice el poeta, el poeta siempre dice la verdad, aunque sea un fingidor, combinando coincidencias de Gerardo Diego y de Fernando Pessoa.

Las formas nuevas, las que el poeta considera más personales y libres, en las que podría exponer directamente sus preocupaciones, no pueden ser asumidas por un grupo numeroso de espectadores que el teatro más o menos comercial necesita para que se pueda alzar el telón; al menos por el momento, el «teatro bajo la arena» será el «teatro imposible», hasta que el público sea capaz de aceptar formas extrañas y temas directamente expresados que le puedan herir. Ni siquiera sus amigos más cercanos, los que mejor pueden conocer a Lorca, pueden abonar este nuevo teatro: Martínez Nadal, en su edición de *El público* [1978: 22], cuenta cómo fue la reacción de los asistentes a la lectura de la pieza en casa de los Morla, y antes, en Cuba, cuando la estaba redactando, la de los hermanos Loynaz.

Lorca ha aprendido con sus fracasos comerciales en España y sus éxitos en Buenos Aires lo que el público es capaz de aceptar. Colaboran a este aprendizaje el rechazo del teatro experimental, tanto del que se hace en Francia como del que en España intentan Unamuno, Valle-Inclán o Grau. Ha visto y estudiado en qué consiste el éxito de su Barraca con obras clásicas, que ni son superficiales ni halagadoras. Ahora, en 1936, García Lorca sabe que, si quiere conservar la relación tan difícilmente ganada con el público, se ha de alejar de la posición radical que había expuesto en la carta a su familia el 21 de octubre de 1929 desde Nueva York: «He empezado a escribir una cosa de teatro que puede ser interesante. Hay que pensar en el teatro del porvenir. Todo lo que existe ahora en España está muerto. O se cambia de raíz o se acaba para siempre. No hay otra solución».

El teatro de García Lorca ha de ser nuevo, del porvenir, no renunciar a sus planteamientos básicos. Pero si rompe con la inanidad del significado, conservará, modificada, la forma del significante, agudizándola y exprimiendo sus posibilidades, tras una seria meditación sobre los géneros dramáticos. Coincide en ese método con Galdós, Valle-Inclán o Arniches.

Conservará, pues, la estructura superficial y el ambiente habituales como accesorios y no esenciales para introducir y realzar lo universal. Sigue así lo que ya había hecho en *Don Perlimplín* y en *La zapatera prodigiosa,* farsas que limitan con la tragedia: «El color de la obra es accesorio y no fundamental como en *otra clase de teatro*. Lo mismo pude poner este mito espiritual entre esquimales. La palabra y el ritmo pueden ser andaluces, pero no la substancia». Las implicaciones de la cita pueden verse, más desarrolladas, en el estudio preliminar a *La zapatera prodigiosa* [1978].

Muestra de este cambio de perspectiva son sus declaraciones a Nicolás González-Deleito en 1935, fecha más cercana a la redacción de la obra que nos interesa:

> El problema de la novedad del teatro está enlazado a la plástica: la mitad del espectáculo depende del ritmo, del color, de la escenografía... Creo que no hay, en realidad, teatro viejo ni teatro nuevo, sino teatro bueno y teatro malo. Es nuevo verdaderamente el teatro de propaganda —nuevo por su contenido—. En lo concerniente a forma, a forma nueva, es el director de escena quien puede conseguir esta novedad, si tiene habilidad interpretativa. Una obra antigua bien interpretada, inmejorablemente decorada, puede ofrecer toda una sensación de nuevo teatro. *Don Juan Tenorio* es lo más nuevo que a mí se me ocurre, lo que haría si me lo encargaran. El teatro viene del Romanticismo al naturalismo y al modernismo (teatro pequeño de experiencia y arte), para caer siempre en el teatro poético y de gran masa de público, el «teatro-teatro», el teatro vivo... Cada teatro seguirá siendo teatro andando al ritmo de la época, recogiendo las emociones, los dolores, las luchas, los dramas de esa época... El teatro ha de recoger el drama total de la vida actual. Un teatro pasado, nutrido sólo con la fantasía, no es teatro. Es preciso que apasione, como el clásico —receptor del latido de toda una época—. En el teatro español actual no observo ninguna característica. Sólo pueden contarse cuatro o cinco productores. Y avanza un tropel de gente, imitándolos, peor casi siempre, naturalmente. Hay una gran crisis actual de autores, no de público. No llegan a interesar los autores, no... [VI, 675].

El autor se plantea, como se ve, un acabado programa estético, en el que ya no se opone novedad a antigüedad de formas, sino que se apela a un juicio de calidad. Entre las dos, el vivido encuentro con los clásicos en La Barraca y el revivido encuentro con un Shakespeare, actuante (¿o actante?) en *El público* y en la *Comedia sin título*. Sin olvidar las referencias directas a que se acude en el prólogo (y no sólo en él) de *La zapatera prodigiosa*.

ENTRE EL DRAMA RURAL Y LA TRAGEDIA

Para lograr su nuevo propósito, Lorca se vale del drama rural, código teatral de moda, que sirve de eje de referencia. Y niega, desde su rechazo explícito del lirismo, la relación con la corriente del llamado teatro poético. Pero, a pesar de las semejanzas con el drama rural, nada es tan diferente como LA CASA DE BERNARDA ALBA a las obras de ambiente que se hacen para el teatro burgués, con Benavente a la cabeza, acompañado de una amplia pléyade de autores. Miguel García Posada, al hablar de la obra lorquiana, evoca el éxito de la trilogía rural de Eduardo Marquina, debido en gran parte a la faena interpretativa de Margarita Xirgu. Y acaso antes de Benavente y sus epígonos, el drama rural con visos costumbristas se había enseñoreado de la escena «seria» por obra y gracia de aquellas zarzuelas que intentaban prestigiarse alejándose del género chico y del género ínfimo, refugiándose en todas las huertas y en todos los caseríos pensables de España.

No era la primera vez que Lorca recurría al subcódigo del drama rural, incluso jugando, como en la zarzuela, con la inclusión de canciones que evoquen la cultura popular. *Bodas de sangre* y *Yerma* se ambientaban en el mundo campesino. El recurso a ese mundo ancestral le permitía al poeta un múltiple efecto. Por una parte, la más importante acaso, no renunciar a la expresión de los problemas vivos que se plantea en la poesía o en el «teatro bajo la arena». Por otra, precisamente por ser representado en un escenario ciudadano y para un público urbano, conseguir un punto muy marcado de distanciamiento con respecto al público que lo presenciaba. Se establece así un lazo elevado de recepción con lo representado, favorecido por el reconocimiento del código, pero a la vez se propicia una distancia del autor con respecto a la materia dramática, coadyuvando a la objetividad del análisis a pesar de tratar de temas acuciantes, evitando la subjetividad. Hablar, como se ha hecho, de neopopularismo, tanto en este caso como en las dos tragedias, es confundir la forma del contenido con su sustancia [véase García Montero, 1986: 359-370], y ya Lorca se defiende de ello cuando se lamenta de la interpretación que se ha hecho de su *Primer romancero gitano,* cuando confundían el ambiente con los problemas y expresión de un grupo étnico-social.

La actitud consciente de Lorca en esta renuncia parcial a las formas dramáticas nuevas, acercándose a las que el público está acostumbrado a ver, es muy patente en los textos que ha recogido Francisco Caudet [1986: 768-772]. Allí defiende la necesidad de un teatro «impuro», «normal», no «artístico», porque sólo así el teatro cumplirá su papel y podrá salvarse, tener porvenir:

> «Jo soc optimista sempre [con respecto al porvenir del teatro], però ara encara més. El teatre artístic, purament artístic, ha fallat sorollosament. I ho comprendreu tot seguit que mireu la seva desviació del camí que seguirem les masses populars. Va trovar-se que mancava d'ambient, de caliu. Naturalment que això no era pas una circumstància casual. El que passava era que els autors es mantenien distanciats de la vida social, i, clar, les obres que representaven semblaven estrangeres, anacròniques. El gran públic va a veure la seva vida i els seus problemes. Per mitjà del teatre fixeu-vos si es pot orientar a les masses!... Si l'autor s'adapta al tipus de mentalitat mig que predomina i arriba a fer comprendre clarament les seves idees a través de l'obra, a·les·hores a mès de l'èxit que assoleix, que jo crec que és subjectiu, fa la gran tasca de realitzar la veritable missió del teatre, educar les multituds.

Es extraodinària la influència del teatre en aquest aspecte,
jo si tinc un xic abandonada la meva producció poètica és per-
què ja considero prou profitosa la meva producció dramàtica,
la qual poso, modestament, al servei educatiu» [VI, 710].

Volvamos, por un momento, atrás para reanudar nuestro
discurso y ahondar en él. El ambiente campesino que Lorca
había trazado para *Bodas de sangre* y *Yerma* estaba tratado
con características de tragedia clásica. Dados los problemas
que se le planteaban y lo que quería lograr de los espectadores, la elección de género era casi ineludible. En ambas obras
se dibuja el desarrollo de un carácter, marcado por una *hybris*
muy definida, que se subraya por el contrapunto de una actuación coral, de público intermediario, en los momentos en que
se puede modificar la peripecia [«¿Qué momento le satisface
más en *Bodas de sangre,* Federico? —Aquel en que intervie-
nen la Luna y la muerte, como elementos y símbolos de la fa-
talidad. El realismo que preside hasta ese instante la tragedia
se quiebra y desaparece para dar paso a la fantasía poética,
donde es natural que yo me encuentre como pez en el agua».
VI, 535]; también la existencia de un destino trágico asumido
al fin por el protagonista, la búsqueda de un *pathos,* individual
y colectivo, que conduzca a un cierre catártico. El poeta, preo-
cupado por el hecho teatral, conoce bien a los clásicos y ha
meditado sobre los géneros: en varias entrevistas justifica estos puntos necesarios en el género de la tragedia con el ejemplo personal de *Bodas de sangre* [VI, 534-535] y *Yerma* [VI,
646-648]. El carácter trágico de estas obras hace que la distancia con el modelo benaventino de drama rural sea mayor que
en LA CASA DE BERNARDA ALBA; sin embargo nuestro autor
pudo conocer también los dramas de Ángel Guimerà, menos
cargados de valores propiamente considerados como burgue-
ses y más tendentes a la tragedia; en el final de *Yerma* parecen
escucharse ecos de la escena última de *María Rosa,* cuando la
protagonista mata a Marsal; también de la exclamación final
de Manelic en *Terra baixa.*

Ninguno de los caracteres de la tragedia pueden acudir a LA CASA DE BERNARDA ALBA, porque no se dan aquellos presupuestos teóricos básicos; menos aún la esencial catarsis, porque no se trata de purificar al público, sino, como veremos, de inculparlo. Dada la materia tratada y el tipo de recepción buscada, tampoco le conviene a LA CASA la inclusión de momentos líricos ni corales, tan frecuentes en las restantes obras teatrales de nuestro autor —las excepciones, con ésta, son *Don Perlimplín* (en que se suple con la música) y *El público;* la presencia del verso lírico podría ser recibida fácilmente entre los espectadores como relajamiento o momentos de reposo de la acción dramática, debilitándola en lugar de potenciarla. Si Lorca, como parece por testimonios fiables, incluyó en algún momento poemas en el cuerpo del texto, se preocupó también de eliminarlos, conservando exclusivamente los muy pocos que a él se le hicieron absolutamente imprescindibles para acrecer la función dramática [Francisco García Lorca, 1993: 213-214], para poner de relieve dialécticamente momentos que conciernen a la diégesis o a subrayar algo vivido por los personajes, nunca a la participación coral asertiva o compasiva (simpatética); la canción de los segadores no cumple una función distinta a la de los golpes del caballo garañón en los muros de la cuadra.

Cercana al drama, lejana de la tragedia, Lorca subtitula a su obra «drama de mujeres en los pueblos de España». Y queremos recordar que Lorca, como Valle-Inclán, trataba de ser muy preciso en los epígrafes que colocaba tras el nombre de su obra. Eran una clave que se compartía entre autor y espectadores para explicitar el tono en que se había ideado el discurso teatral, facilitando la interpretación del público, sin que ésta se desviase demasiado de las intenciones del autor.

«Drama», pues, porque, como hemos visto, no tiene carácter trágico; ni tampoco lírico-dramático (ni «Romance en estampas», como *Mariana Pineda;* ni «Aleluya», como *Don Perlimplín;* ni «Poema en jardines», como *Doña Rosita);* «de mujeres» —no «de las mujeres»— porque una de las convenciones del teatro de la época consiste en el reconocimiento de una identidad insoslayable entre la mujer y la casa [Fernández Cifuentes, 1986: 22-23]. Dentro de la casa la mujer es la dueña de la palabra y del lenguaje; y LA CASA DE BERNARDA ALBA es drama de interiores, obsesivos. También «de mujeres» porque, como justifica Federico García Lorca, a la pregunta de «¿Por qué ha elegido usted [para su teatro] mujeres y no hombres?» responde: «Las mujeres son más pasión, intelectualizan menos, son más humanas, más vegetales; por otra parte, gran dificultad encontraría un autor para dar sus obras si los héroes fueran hombres. Hay una crisis lamentable de actores, buenos actores se entiende...» [VI, 621].

Sin que por eso demos la razón a la crítica de visos feministas o —peor aún— psicoanalíticos que juzguen desde la sexualidad del autor, señalemos que a esas razones se puede agregar el valor tópico añadido y consuetudinariamente asumido de la mujer considerada como portadora instintiva y sustancial de las ideas y creencias tradicionales y conservadora de ellas. El discurso de Bernarda no es solamente propio de su persona, de su papel. Sus frases responden a un código ético, ideológico, social y emocional que la rebasa y que ha asumido porque sí, absoluta e irracionalmente, porque es su obligación ocupar el lugar del varón (es decir, del representante de la *auctoritas)* cuando éste falta. A causa de esta ausencia suma el valor tradicionalmente creído del padre y de la madre y lleva a los últimos límites el tópico de la madre protectora; ejemplos *a contrario,* en que el padre tiene que asumir la doble función, son frecuentes en nuestro teatro del Siglo de Oro.

Todas estas razones contribuyen a que pensemos que con la denominación de «drama de mujeres» se quiere conseguir que la estructura descrita ataña a un comportamiento del cuerpo social entero, sin distinción de sexos, sin distinción de condiciones y sin situarlo en un tiempo histórico concreto, generalizándolo desde la particularidad de acciones. Es el mismo intento que expresaba cuando, al hablar de una obra aparentemente con personajes más individualizados, dice: «La zapatera no es una mujer en particular, sino todas las mujeres... *Todos los espectadores llevan una zapatera* volando en su corazón» [VI, 531. El subrayado es nuestro].

En la segunda parte del epígrafe puede producirse una ambigüedad semántica. *De España* puede referirse tanto a *pueblos* como a *mujeres*. En el primer caso se logra la actualización de un drama general, ubicándolo en un ambiente compartido tanto por el autor como por el público; sin embargo, la localización es suficientemente amplia como para que no se puedan circunscribir los modos de actuación a un sitio y cultura excesivamente marcados, cosa que podría permitir a los espectadores desentenderse de lo que sucede en el escenario y de sus causas, remitiéndolo a un costumbrismo similar al que practicaban autores como los hermanos Quintero o, para que no nos ofusque el posible humor de los autores andaluces, al cuasi trágico de los dramaturgos de la cuerda de Feliú y Codina o Linares Rivas.

Pienso que el temor y la conciencia de esa posibilidad de interpretación localista es lo que hace que García Lorca tache en el manuscrito autógrafo el subtítulo primitivo («en un pueblo andaluz de tierra seca») para sustituirlo por el que ahora lleva. El que *pueblos* pueda equivaler tanto a «aldeas» como a «conjuntos culturales» —significado que en el contexto histórico de 1936 tenía tanta vigencia como hoy mismo— permite que el drama se mueva entre los límites de «cada lugar» y «todos los lugares de España», considerada ésta como suma cultural común, conjunto de pueblos diferentes e iguales. Y de la localización ambigua se puede pasar a la universalidad, a la condición humana, porque, como Lorca dice repetidas veces, únicamente desde un localismo y desde una individualización de los personajes se puede en literatura aspirar a expresar lo universal; la demostración viva es la novela de su admirado Cervantes. La elección de un pueblo como espacio escénico puede deberse a que en *Doña Rosita la soltera* había situado unos problemas éticos muy semejantes —aunque el tratamiento teatral y la solución sean diferentes— en una ciudad provinciana, eternizando, como aquí, un tiempo a la vez variable e invariable, como si se rozase la eternidad del instante. Miguel García Posada [IV, 18] ha escrito muy bien de este problema.

En el segundo caso, el poeta apunta hacia una moral represora y fosilizada, ya periclitada para él, pero que se basa en un conjunto de valores que apoya la sociedad porque le sirven de cimiento; valores que, si en algún momento pudieron tener alguna dudosa función, en este momento la han agotado, cuando no la han transformado en algo ruin: el sentido de la honra se ha vuelto temor al qué dirán, pasando por la ya degenerada negra honrilla; la autoridad, tiranía apoyada en el temor; todo en un volverse hacia sí mismos, a encerrarse entre los cuatro muros, blancos como el sepulcro que metaforiza a los fariseos en los Evangelios, y a conseguir que el parecer sustituya al ser. La supervivencia degradada y envilecida de aquellos prejuicios puede impedir, prohibiéndolos, el desarrollo de otros valores que Lorca considera superiores, y que destruirían los vectores sobre los que cómodamente se organiza el mundo viejo. Están ausentes, y aun perseguidas, virtudes como la tolerancia, la alegría, la sinceridad, la libertad individual, el amor, la piedad, la caridad, acaso la que más echamos en falta en el comportamiento de todos los habitantes de LA CASA. Y aunque sitúe la obra entre «mujeres de los pueblos de España», el problema no se circunscribe únicamente a nuestro país: continuando al destructor movimiento dadá, en Francia los surrealistas, entre los que se encuentran los «amigos de París» de Lorca, van haciendo nacer una ética rebelde que comporta unas actitudes escandalizadoras para la sociedad burguesa, encarnizándose con sus tabúes totémicos: autoridad, religión y cultura oficiales, concepto de familia, razón cartesiana.

La posibilidad de una nueva moral más libre, que permite la convivencia de costumbres y religiones, la había comprobado Lorca durante su estancia en Estados Unidos; unas veces con horror, al ver la ascensión de la explotación del hombre y del predominio de la riqueza, otras muchas más con esperanza: los poemas, las cartas a sus amigos y a su familia, el testimonio de los que lo conocieron, es buena prueba de ello.

DOCUMENTAL FOTOGRÁFICO. EL CINE

«El poeta advierte que estos tres actos tienen la intención de un documental fotográfico». Tras el reparto, avisa el autor así a los actores y lectores, subrayando lo inane de la contraposición entre poesía y realidad; si acaso, indicará el inicio de una nueva poética, que no prescinda de lo real. Porque el autor comienza autodenominándose poeta, no dramaturgo. Y nunca, absolutamente nunca, renuncia Lorca a separar teatro y poesía, aunque ésta no se exprese en verso ni tenga nada que ver con el lirismo. «El teatro es la poesía que se levanta del libro y se hace humana. Y al hacerse, habla y grita, llora y se desespera. El teatro necesita que los personajes que aparezcan en la escena lleven un traje de poesía y al mismo tiempo que se les vean los huesos, la sangre», dice en 1936 [VI, 730]. Y en 1935:

> El teatro que ha perdurado siempre es el de los poetas. Siempre ha estado el teatro en manos de los poetas. Y ha sido mejor el teatro en tanto era más grande el poeta. La poesía en España es un fenómeno de siempre en este aspecto. La gente está acostumbrada al teatro poético en verso. Si el autor es un versificador, no ya un poeta, el público le guarda cierto respeto. Tiene respeto al verso en el teatro. El verso no quiere decir poesía en el teatro. Don Carlos Arniches es más poeta que casi todos los que escriben teatro en verso actualmente. No puede haber teatro sin ambiente poético, sin invención... Fantasía hay en el sainete más pequeño de don Carlos Arniches... La obra de éxito perdurable ha sido siempre la de un poeta, y hay mil obras escritas en versos muy bien escritos, que están amortajadas en sus fosas [VI, 676].

Aduzco estos testimonios porque se ha discutido, e incluso negado, la poeticidad de LA CASA DE BERNARDA ALBA, aunque nunca se ha negado, sino todo lo contrario, la de su más preciso complemento, *Doña Rosita la soltera*, ni la de *Los sueños de mi prima Aurelia*, ambas estrictamente contemporáneas de LA CASA. Y mucho menos el carácter de *La zapatera prodigiosa*, tan cuidadosamente elaborada durante tantos años, para la que Lorca distingue, con precisión, dos tipos de poesía:

> Esta fábula casi vulgar con su realidad directa, donde yo quise que fluyera un invisible hilo de poesía y donde el grito cómico y el humor se levantan, claros y sin trampas, en los primeros términos.
>
> Yo quise expresar en mi *Zapatera*, dentro de los límites de la farsa común, sin echar mano a elementos poéticos que estaban a mi alcance, la lucha de la realidad con la fantasía (entendiendo por fantasía todo lo que es irrealizable) que existe en el fondo de toda criatura [VI, 481].

La diferencia básica entre *La zapatera* y LA CASA es que en esta última la fantasía, en lugar de ser imaginaria, es una realidad humana existente —la realización erótica y el ansia de libertad—, que resulta inalcanzable si se aceptan los presupuestos de la falsa y obligada realidad, impuesta y ajena.

La oposición *realismo* frente a *poesía*, tan reiterada al estudiar nuestra obra, procede de un obituario del poeta, redactado en 1938 por su amigo Adolfo Salazar: «Cada vez que terminaba una escena venía corriendo inflamado de entusiasmo: "Ni una gota de poesía —exclamaba—. ¡Realidad! ¡Realismo puro!"». Repetida la cita por Ángel del Río [1940], el presunto comentario de Lorca, tan escasamente matizado, hizo fortuna, condicionando la interpretación posterior de la obra.

Más exacto parece el comentario de Manuel Altolaguirre, amigo y editor de Lorca. Sabemos que Lorca, con Neruda, con Alberti, visitaba con frecuencia el taller en que el poeta impresor y Concha Méndez, su mujer, fabricaban hermosos libros. Allí leyó Federico, explicando el proceso que seguía para redactarla, una posible primera versión de la obra teatral, todavía con otro nombre y pensada como tragedia; el título que da podría hacer suponer coincidencias con la nonata y prometida tragedia de las *Hijas de Lot:*

> Después de un lectura íntima de *Las hijas de Bernarda Alba,* su última tragedia inédita y sin estrenar, en la que sólo intervienen mujeres, Federico comentaba: «He suprimido muchas cosas en esta tragedia, muchas canciones fáciles, muchos romancillos y letrillas. Quiero que mi obra teatral tenga severidad y sencillez». Federico García Lorca alcanzó en grado sumo sencillez y severidad en su última tragedia, que considero una de las obras fundamentales del teatro contemporáneo y consiguió esas cualidades luchando contra su propio temperamento que le ha llevado siempre a lo más barroco y exuberante de nuestra literatura [Altolaguirre, 1937: 36].

Como se ve, el procedimiento de Lorca no era el de evitar el verso desde el primer momento, sino eliminar, en un proceso de depuración, lo que para él suponía una facilidad excesiva, en su búsqueda de una poesía puramente dramática, teatral; el lirismo, descanso y reposo de la tensión dialéctica, queda sólo en los momentos en que resulta imposible prescindir de él: al enfrentar la sujeción antinatural, representada por la casa a la libertad personal, aunque sea conseguida por la locura o por la muerte: léase el responso de Bernarda; o cuando se hace manifiesto vivamente el erotismo, que es también una forma de libertad, y para Lorca acaso una de las fundamentales. En definitiva, cuando suena alguna de «las tres voces [de la muerte, del amor y del arte] que él decía que le fluían y escuchaba dentro de sí» [Higuera, 1980: 181, y cf. VI, 545].

La calificación de «documental fotográfico» ha sido sin duda la que ha inducido a acentuar la indagación del realismo que pueda haber en LA CASA DE BERNARDA ALBA, búsqueda que desconcierta y parece quimérica, entre otros estudiosos, a

Francis Fergusson [1973: 184] o Rubia Barcia [1973: 301-302 y *passim*], que terminan abominando del epígrafe. Pero es muy verosímil que esas palabras tuvieran para Lorca un sentido diferente al que nosotros, hoy, les atribuimos.

Como sustantivo, la voz *documental* acababa de entrar en el léxico cultural de la época, no sólo en el español. Que sepamos, es John Grierson el que la emplea por primera vez en un artículo del *New York Sun* de febrero de 1926, para calificar y juzgar la película-documental *Moana*, de Robert J. Flaherty. Lo hace trasladando el sentido primero que tenía en francés, en que la expresión *film documentaire*, usada sólo en 1924, servía para denominar a las películas exóticas o de viajes. Este significado, presente aún al hablar de *Moana*, se pierde definitivamente a partir de un artículo de Abel Gance de 1929, cuando el director de *Napoleón* lo adecua para designar el sesgo cinematográfico que toman la escuela documentalista inglesa y el kino-glaz soviético, aceptando y especializando la intuición de Grierson, que había unido *Moana* y *Nanuk el esquimal* en una comunidad genérica. Apoyándose en ella había definido que «el documental es el tratamiento creador de la sociedad», estableciendo su función ética y su esencia en la actuación sobre ella. Flaherty, desde su experiencia como director de películas, recoge la declaración de Grierson y la afina: «El documental es [...] el drama de cada lugar y el drama esencial de ese lugar».

Creo que el conjunto de definiciones de documental —y el ejemplo de aquellas películas, o de *Tabú* y *Hombres de Arán*, ¿de *La isla de los 24 dólares*?— puede aplicarse en todos sus términos al «drama de mujeres en los pueblos de España». Fueron las mismas razones las que hicieron que se aplicase a las distintas corrientes del cine documental soviético, aunque se sepa que hay, por lo menos desde Dziga Vértov («en los [documentales] la cámara ve lo que los hombres no aprecian»), diferencias sustanciales en el tratamiento cinematográfico, al hacer predominar la transformación social sobre la percepción de la realidad.

Lorca podía conocer los documentales cinematográficos del grupo británico y de las escuelas soviéticas. Se habían proyectado en Nueva York durante su estancia, y también en Madrid, en el Cineclub, donde había presentado algún filme. Es muy probable también que conociese, aunque fuera en copión, *Tierra sin pan* (1932), de Luis Buñuel, y *Almadrabas* (1935), de Carlos Velo. Las concomitancias del inicio de *La aldea maldita,* de Florián Rey, con el documental soviético fueron ya señaladas cuando se estrenó. Y cuando Lorca habla de colocar el mito de *La zapatera prodigiosa* entre los esquimales, ¿acaso no pudo estar pensando en *Nanuk?* Por lo menos, es imaginable.

La extensión de sentido del término *documental* está asegurada. Eisenstein, en la conferencia que pronuncia en 1929 en la Universidad de Columbia (¿coincidiría con Lorca?), considera documentales películas como *La huelga, El acorazado Potemkin* u *Octubre,* porque en ellas «no figuran estrellas consagradas por el público, ni se basan en la trivial historia de una pareja de enamorados: mis personajes salen del pueblo, porque allí voy a buscarlos»; Bardèche y Brasillach, en su *Histoire du cinéma,* definen a estos filmes como «una especie de documentales líricos»; Georges Sadoul, «actualité reconstituée». Y el director ruso coincide con Jean Vigo cuando al hablar de sus películas —y no sólo de *Niza*— dice que «documental es el contar historias de gente que come», frente a los relatos de héroes más o menos novelescos. También los personajes de Lorca, los de LA CASA DE BERNARDA ALBA, son personas corrientes, que salen del pueblo, negando la heroicidad e, incluso, la historia. Documental, pues, por representar, como en las películas de Buñuel, el horror cotidiano, familiar, hasta sus últimas consecuencias. Lorca, más aún que Alberti, nació, y lo respetamos, con el cine.

Fuera del cine, con referencias a él, se encuentran tendencias parecidas en algunas obras teatrales de Elmer Rice como *La calle,* o en novelas como *El paralelo 42,* de John Dos Passos. En el propio García Lorca podrían tener un propósito semejante las «ilustraciones fotográficas y cinematográficas» [VI, 741], que se intercalarían en *Poeta en Nueva York,* complementando a los poemas y que conocemos por la lista de Rolfe Humphries; y ya antes de su viaje a Estados Unidos, en la edición en *Revista de Occidente* [diciembre de 1928] de los fragmentos de la *Oda al Santísimo Sacramento de Altar* se lee en nota a pie de página: «De un libro próximo de poemas que se publicará con fotografías».

Documental fotográfico, porque Lorca ha pensado y es consciente de la frontera que separa al teatro del cine, como señala muy claramente en la entrevista *Federico García Lorca parla per als obrers catalans* [VI, 708-712], y él va a hacer teatro. En el teatro no se pueden utilizar ni las masas actuantes ni el montaje, ni el juego de planos ni la variación de lugares, como sí se hace en *El acorazado Potemkin.* El espectador, en el teatro, tiene un punto de vista fijo sobre la escena, como si contemplase una fotografía, y sobre las tablas no pueden colocarse muchos personajes. Así, desde la diferencia, «el teatre, però, també té una missió, en aquest sentit. I és la de presentar i resoldre problemes individuals, íntims. Teatre i cinema han de complementar-se, fent la feina adient a cada un d'ells» [VI, 711].

La distinción fundamental entre cine y teatro es la imagen frente a la palabra, que en Lorca intenta ser «terrible», como destaca Fernández Cifuentes [1986: 169], porque la palabra-poesía del teatro, como la imagen del documental, no está hecha para comunicar, sino para perturbar al espectador. La acción punzante sobre el público se había producido ya con *Yerma,* que logró dividirlo en dos sectores; el del «piso principal», y los cronistas que eran sus voceros, dio una respuesta que a veces resultó personalmente ofensiva e insultante para el autor y para la actriz principal, Margarita Xirgu [Doménech, ed. 1985: 93-121]. El otro sector aplaudió la poesía y —suponemos— la moral que se ponía de manifiesto. Pero incluso los críticos favorables al poeta se preguntan por la necesidad de palabras, no soeces, como decían los otros, pero sí inquietantes. Y si eso ocurría con *Yerma,* obra trágica en la que actúa sobre los personajes el destino y los sentimientos primarios, ¿qué hubiese podido suceder si LA CASA DE BERNARDA ALBA se hubiese estrenado cuando era su hora?

Nos parece estar viendo en la práctica lo que expone, con deseo, Antonin Artaud, dramaturgo y teórico contemporáneo de Lorca: «Estos símbolos [los realistas: hoy preferiríamos «señales»] que son el signo de fuerzas maduras, pero hasta ahora mantenidas bajo servidumbre, e inutilizables en la realidad, estallan con el aspecto de imágenes increíbles que dan derecho de ciudadanía y de existencia a actos por naturaleza hostiles a la vida de las sociedades. Una verdadera obra de teatro trastorna el reposo de los sentidos, libera el inconsciente oprimido, impulsa a una especie de motín virtual que, además, no puede alcanzar todo su propósito más que si permanece virtual, impone a las colectividades reunidas una actitud heroica y difícil» [*Le théâtre et son double,* Gallimard, París, 1964: 38-39].

Esta necesidad de «trastornar el reposo», que propugna Artaud como un acto esencial del «teatro de la crueldad», y que creemos realizada en varias de las obras de Lorca, delata la muralla de hábitos y normas teatrales y también morales que le servían al público como coartada para defenderse del nuevo lenguaje literario y dramático, ironizando sobre él y trivializándolo; pronto surgen bromas, mezcladas con irritación, acerca del surrealismo, que pasa a significar en la lengua usual algo parecido a lo absurdo o a lo chocante. Por eso, como Lope de Vega ya había notado, al público había que hablarle «en necio», en su lenguaje habitual, dorarle la píldora literaria para que, sin apercibirse, se encarase con el objetivo que retrataba sus limitaciones.

El retrato que aparece en la placa fotográfica es Bernarda, cuyas palabras emanan, en cada una de sus intervenciones, como máximas de un código inapelable anterior a todas las cosas: frases definitorias e indiscutibles, que representan y defienden a una sociedad petrificada, perfecta, asentada en su propia satisfacción. Son sentencias que el público fosilizado obedece, pero que es imposible escuchar sin avergonzarse o irritarse si se aíslan y objetivan: «Los pobres son como animales», «¿es decente que una mujer de tu clase vaya detrás de un hombre con el anzuelo?», «una hija que desobedece deja de ser hija para convertirse en enemiga», «las cosas son como una se las propone»... Y culminan en la negación de la realidad y de la voz, al negar la posibilidad de rebeldía: «Ella, la hija menor de Bernarda Alba [obsérvese que la designa por su posición en la casa, no por su nombre, *Adela]* ha muerto virgen. ¿Me habéis oído? Silencio, silencio he dicho».

Como buscan los mismos fines, el cine ha de ser complemento del teatro, no su opuesto. Evidentemente los medios son distintos, pero sólo los que no puedan ser compartidos. Cada uno de ellos podrá aprovechar lo que el otro descubra y le pueda ser útil.

Así el teatro se acercará a la fotografía, dominio descubierto en su función narrativa por el cine, que se puede y debe compartir. Sobre todo en lo que ésta puede tener de poético y de misterioso, como la que hacen Man Ray y Moholy-Nagy; o en las elegidas para ilustrar *Poeta en Nueva York.* Incluso en el gusto por las tarjetas postales, que nota Maurer. O como las que aparecen en las inconclusas obras lorquianas *Drama fotográfico,* en *Ampliación fotográfica* o en la primera intención de *Rosa mudable* [Laffranque, 1987 y 1988: 19-20], intentos de utilización dramática explicados a Melchor Fernández Almagro en carta de fecha tan temprana como febrero-marzo de 1926 [VI, 890-891]: «Los personajes [del drama que Federico quiere escribir] son ampliaciones fotográficas y están fijos en un momento del cual no pueden salir [...]. El sentimiento de los personajes es puramente exterior, lo que se ve y nada más. El drama oscuro y sordo corre delante del objetivo de las gentes. La escena ha de estar impregnada de ese silencio terrible de las *fotos* de muertos y ese gris difuminado de los fondos». ¿Acaso no se pueden aplicar estas frases para aclarar modos de actuación sobre la materia y escritura dramática de LA CASA DE BERNARDA ALBA, ese «documental fotográfico»?

Lorca, por tanto, puede acudir al cine —al objetivo de la cámara— para subrayar la índole del drama. Para adecuarlo a la escena basta reelaborar el concepto de *fotogenia,* tal como había sido delimitado por Louis Delluc en 1920: «La fotogenia está formada por estos cuatro elementos de un film: el decorado, la luz, la máscara y la cadencia»: compárese con el testimonio de Francisco García Lorca [1980: 375-376]. Delluc amplía: «La máscara es el hombre, el actor, pero no como elemento creador fundamental —esto es el teatro— sino como figura humana en su decorado, y la creación de un rostro como decorado».

Unos años más adelante, Jean Epstein, director de *La caída de la casa Usher,* en cuyo rodaje intervino Buñuel, en *Le cinématographe vu de l'Etna* (1926), asume la idea y le añade la especificidad de una función moral, producto de la acción del objetivo, el ojo de la cámara que sustituye a la mirada humana:

> El cinematógrafo, mejor aún que un juego de espejos inclinados, logra aquellos encuentros inesperados con uno mismo: la inquietud ante su propia cinematografía es frecuente y general. Es una anécdota ahora común la de esos millonaritos americanos que han llorado al verse por primera vez en la pantalla. Y los que no lloran, se azoran. No hay que ver en eso sólo un efecto de la presunción propia ni de una coquetería exagerada. Porque la misión del cine no parece haber sido comprendida con exactitud. El objetivo del tomavistas es un ojo que Apollinaire hubiese calificado de surreal (sin ninguna relación con el surrealismo de hoy), un ojo dotado de propiedades analíticas inhumanas. Es un ojo sin prejuicios, sin moral, vacío de influencias y ve en la cara y en los movimientos humanos rasgos que nosotros, cargados de simpatías y antipatías, de costumbres y de reflexiones, ya no sabemos ver.

No parece sino que Lorca intentara —y lograra— aplicar al teatro, especialmente en LA CASA DE BERNARDA ALBA, estos efectos del cine, tanto los personales —señalados por Epstein— como los sociales —subrayados por Dziga Vértov—. En la obra lorquiana los personajes se amalgaman con el decorado para construir entre todos ellos la casa, el verdadero protagonista del drama y el que le da título; *casa* en la doble acepción de «edificio» y «familia», como sucede también en *La caída de la casa Usher* de Poe. Como los muros, los personajes son ellos muro que priva de libertad, elementos constitutivos del laberinto sin salida, representado por esas habitaciones distintas y siempre iguales a sí mismas y entre ellas, como los personajes, con una luz variable y funcional [véase VI, 659, con referencia a *Yerma*].

La obra discurre con un ritmo y cadencia, subrayados por los sonidos y silencios, que se corresponden con la intuición musical —tan semejante a la cinematográfica, como habían mostrado los hombres de la *Kinok*— de Lorca, poeta, músico, dramaturgo y director de escena, que busca siempre el ritmo y la melodía apropiados para cada obra teatral, para cada movimiento de sus piezas y de las ajenas que monta. Y, si nos acercamos más al ojo de la cámara, al retrato, no cabe duda de que en LA CASA DE BERNARDA ALBA el espectador se encuentra, inopinadamente, enfrentado a su propia imagen objetivada tanto como en los espejos curvos del Callejón del Gato, posiblemente por menos deformada, pero distanciada en el sentido brechtiano del término.

Como dice Laffranque [1987: 33-34, véase también 37], en LA CASA DE BERNARDA ALBA se representa, de cuerpo entero, «todo un pueblo de miradas fijas, rasgos retocados y posturas convencionales, como envejecido por su misma inmovilidad en el tiempo y confundido en un momento dado con el aspecto más exterior de su destino: esos retratos de gran tamaño que la gente de principios de siglo solía colocar en sus salas y habitaciones para recordar acontecimientos familiares y personas ausentes o desaparecidas. Figuras paradas que van reflejando el incesante correr de nuestras propias vidas».

Fotografía o peste, porque —y cedo la palabra a Artaud—:

> La peste agarra imágenes que duermen en desorden latente y las lanza de golpe hasta los gestos más extremados; el teatro, como ella, toma los gestos y los lleva hasta sus últimas

> consecuencias: como la peste teje la cadena entre lo que es y lo que no es, entre la virtualidad de lo posible y lo que existe en la naturaleza materializada. [...] Todos los conflictos que duermen en nosotros nos los restituye con todas sus energías, y da a esas fuerzas nombres que saludamos como símbolos: y entonces ocurre ante nosotros una batalla de símbolos, arrojados los unos contra los otros en un imposible atolladero; porque no puede haber teatro más que a partir del momento en el que comienza realmente lo imposible y en el que la poesía que sucede sobre la escena alimenta y pone al rojo vivo símbolos hechos reales. [...] Si el teatro esencial es como la peste, no es porque sea contagioso, sino porque como la peste es la revelación, el surgir hacia el exterior de un fondo de crueldad latente por el que se localizan en un individuo o en un pueblo todas las posibilidades perversas del espíritu. *[Ibíd:* 38, 42].

Posiblemente esta coincidencia de Lorca con su estrictamente contemporáneo Artaud hace que sea, como dice Marichal [1989: 13-25], el que mejor refleja el «monte de odio» que rompe la comunidad humana española; lo logrará precisamente por no ser realista, sino documentalista, es decir, capaz de reflejar con el objetivo de sus ojos el cambio moral que estaba en trance de producirse, el odio que la nueva fe en la vida humana alzaba en los que se mantenían anclados en unas creencias periclitadas. La misma dicotomía, más moral que social, se expone aún con más claridad en la inconclusa *Comedia sin título.*

EL TEXTO, ESPACIO Y TIEMPO ESCÉNICOS

LA CASA DE BERNARDA ALBA ha llegado a nosotros en dos textos que presentan muy pequeñas diferencias. El primero, el canónico hasta hace pocos años, era el que había utilizado Margarita Xirgu para su estreno, y poco después Guillermo de Torre para la edición de Losada (1945). El apógrafo se ha perdido.

Arturo del Hoyo (1954) había notificado la existencia de un manuscrito autógrafo. En 1981 el buen hacer de Mario Hernández nos lo ofreció en una edición cuasi paleográfica, precedida de un imprescindible prólogo que esclarece muchos aspectos oscuros de la obra. Miguel García Posada (1983), buen conocedor de Lorca y fino lector, usó el mismo manuscrito, aceptó alguna de las correcciones del primer editor e invitó a adoptar algunas distintas; un estudio preliminar ilustra de las posibles fuentes de Lorca.

El manuscrito, fidedigno testimonio de la obra del poeta firmado tan sólo dos meses antes de su muerte, hace que éste tenga que ser considerado como el texto definitivo. No es, a pesar de ello, un texto perfecto, acabado; es sólo el último estado de la obra que se conoce y con él nos hemos de conformar. Tenemos el convencimiento, porque se conocen las costumbres del autor, de que si no hubiese sido asesinado Lorca la hubiese modificado, mejorándola, haciéndola más teatral, corrigiéndola en el tiempo que transcurriría entre su data y el instante en que se levantara el telón en el estreno. La intención de Federico García Lorca era dirigirla con su actriz favorita como protagonista. Lorca, por tanto, se hubiese esmerado en la puesta en escena, y era un director de renombre europeo, que se podía poner a la altura de los mejores, de Gordon Craig, de Stanislavski, de Reinhardt, de Copeau o de Piscator [VI, 681]. Con respecto a otras obras, de menor responsabilidad, sabemos que las modificaba en los ensayos en función de su teatralidad y precisión, para ajustar el ritmo y conseguir el exacto, para evitar tiempos muertos y bajadas de tensión dramática, para lograr los efectos que subrayasen la intención. Cierto que a veces las modificaciones se produjeron por necesidad «alimentaria», por tener que plegarse a las «virtudes específicas» de alguna actriz, a la que le gustaba lucir sus calidades personales, o lucirse con el momento más dramático, poner el punto final a la función, con la última palabra; Lola Membrives, obligando a la varia versión de *La zapatera prodigiosa* o al final modificado de *Bodas de sangre,* son ejemplo vivo de lo segundo. De lo primero, las notas al *Amor de Don Perlimplín con Belisa en su jardín,* en la ejemplar edición preparada por Margarita Ucelay sobre los papeles de ensayo del Grupo Teatral Anfistora [Cátedra, Madrid, 1990].

Si, como quería, Lorca hubiera dirigido su obra, y lo hubiese hecho con la compañía de la Xirgu, quien sentía tanto cariño y respeto por el autor y por la literatura, el texto de LA CASA DE BERNARDA ALBA se hubiera afinado en los ensayos, y algunas escenas hubieran crecido en tensión; son los problemas con los que topa el saber teatral de Bardem (1964) cuando monta la obra por primera vez.

Para el lector, al darla a la imprenta, se hubieran explicitado más ampliamente algunas didascalias, muy esquemáticas, que parecen quedar aquí al criterio del director y de los actores; por el contrario, si el propio Lorca las tenía que matizar en los ensayos (véase, una vez más, cómo se opera sobre el texto de *Don Perlimplín),* mayor detalle hubiera sido ocioso y aun pernicioso, al predisponer el comportamiento de los actores. Si las didascalias fuesen la expresión del resultado final de su experiencia se hubiesen eliminado algunas de las ambigüedades de sentido que, a nuestro parecer, existen en la obra. Muy precisas y elaboradas son, por el contrario, las acotaciones que se refieren al espacio escénico o al ambiente general de la escena; son las que han de servir al decorador, al utillero o al técnico en luminotecnia, que preparan su tarea con cierta independencia del director de escena, pero cuyo trabajo es muy importante porque crean el metatexto necesario para que en él se inscriba la recta interpretación (aceptando el doble sentido de la palabra *interpretación)* del drama.

Porque los lectores olvidamos con frecuencia que una obra teatral no se realiza hasta que no se alzan del papel las personas evocadas por el autor y se encarnan en unos seres vivos, los actores-personajes, que mantienen entre sí una relación espacial, no sólo dialogada. A su vez, estos seres vivificados tendrán que exponerse desde este espacio diferente, cercano y lejano a un tiempo, que se llama escena a otras gentes que contemplan con actitud diversa lo que sucede ante ellos; es el público, ese monstruo que tanto preocupaba a Lorca; con él, desde la escena y a través de ella, el autor entabla el diálogo segundo.

Al devenir de monólogo conversación, al encarnarse, la poesía se hace humana; entonces ocupa un espacio sólo en parte diseñado en las acotaciones, porque el espacio escénico limita con otros que han de ser dejados a la palabra del actor o a la imaginación del espectador. Y el primer límite es el de la relación escena-sala, que el autor puede querer mantener o, anti-aristotélicamente, romper, anulando la distancia y construyendo un espacio único. A su vez, la sala no es más que un lugar, artificialmente limitado, que es muestra de un espacio mayor: la calle, la sociedad, que sólo tangencialmente, como en un espejo, como en el ojo de la cámara, se refleja y reconoce en lo que pasa en el escenario, más aún si se crea una distancia literaria por elección de subcódigo, como sucede en LA CASA DE BERNARDA ALBA. Junto a la distancia espacial, será preciso plantear también la temporal, al poderse crear en escena un tiempo teatral diferente al que siente el espectador.

Por estas razones es impreciso hablar únicamente de un dentro —el escenario— y un fuera —la calle, el pueblo— en esta obra, aunque éstos sean los más patentes. Junto al espacio de la representación, Lorca crea y hace intervenir en el texto un espacio dramático, más complejo.

Al alzarse el telón, ante el espectador se muestra una habitación vacía que cierra el espacio y su visión con unos gruesos muros blancos, permanentes, que, acaso con una iluminación expresionista, en el último acto se matizarán de azul nocturno, porque, como dice Nourissier, «todos los momentos dramáticos de su teatro, sin excepción, se sitúan en la noche» [1955: 143]. Este escenario, idéntico y mudable a lo largo de la pieza, es la presentación de la casa, real protagonista del discurso, opresiva y vacía, equivalente objetivo del espíritu de la familia. En ese decorado se incrustan los personajes, formando parte de él, como defiende la teoría de la fotogenia; cada uno de ellos es muro que coarta la libertad, movimientos y actuación, de los demás. Unos arcos, signo de incomunicación [Anderson, 1988: 194], rompen las gruesas paredes. Son casi entradas de calabozo, puertas que nunca conducen a la calle, siempre a otras habitaciones más adentro, donde no hay salida. Y si en el primer acto se fingen escapes a la fantasía en los cuadros colgados de los paredes, después sólo éstas cierran los caminos imposibles.

Porque la casa, prisión y laberinto, regla y norma impuesta, no deja esperanza a ninguno de los que la habitan. Para esas leyes ajenas e impuestas, como las que obrarán en el teatro del absurdo, no hay solución. Si Vladimiro y Estragón están en un camino, por el que se puede andar, y existe un árbol al que acercarse, aquí no hay ningún Godot al que esperar ni nadie que diga «mañana». En LA CASA no hay más allá de las paredes ni más mañana que este día opresor de verano. Más aún, en el camino de Godot, o en el teatro de Ionesco, las reglas existen sin que las sostenga el hombre, pero aquí dependen de los demás, que no son un infierno al que se llega o en el que se está, como en *Huis clos* de Sartre, sino la única morada posible.

Cuando se intenta la libertad, moviéndose por el laberinto, sólo se consigue llegar a habitaciones más cerradas, donde se halla la locura —María Josefa— o la muerte —Adela—. Pero ni siquiera éstas son válidas. La locura se ha de ocultar, y más si busca como salida la muerte en lo profundo, oscuro y cerrado de un pozo. La muerte elegida no es válida ni como ejemplo, porque la norma exige que se recubra de mentira, se niegue lo sucedido contra ella, y la vuelve inútil. Se acentúa el absurdo de los actos en búsqueda de la libertad cuando se anuncia que es falso el posible camino alternativo que intenta Adela. Acaso lo más desgarrador del final de la obra sea la huida cobarde de Pepe el Romano, viva e invisible falsificación del amor.

También el tiempo es cerrado. La obra sucede en un verano caluroso que va a cercar, atosigándolos, a los personajes que explicitan el carácter de la casa. La historia comienza al fin de una mañana, presidida por la muerte y el clamor de las campanas, que sonarán a lo largo de la pieza como eco o contrapunto de aquellas primeras, rememorando a la vez el paso del tiempo y su permanencia, como sucede con las leves mutaciones del espacio escénico; son la presencia simbólica de esos ocho larguísimos años inmutables (ocho, para Lorca, quiere decir muchísimos, y aun todos) en que las puertas no van a servir para escapar, ni siquiera para salir al primero de los afueras escénicos —la calle— aparentemente más libre, con que nos encontramos en la obra.

El segundo acto sucede en la siesta, al sonar las tres; el tercero, al anochecer. El tiempo se contrae artificiosamente, para destacar el carácter antiaristotélico de la obra, subrayando la apariencia de la unidad de tiempo y su inanidad, porque esa tarde simbólica, que va de una a otra muerte, no puede estar contenida, sí apresada, en el transcurso real de los hechos. Como en *Así que pasen cinco años,* se niega el discurrir temporal, como se niega el cambio de lugar aunque se cambie de espacio escénico. Todo es la misma casa y todo es el mismo día e idéntico verano mítico. El tiempo, como la casa, se desrealiza; sólo es marco e indicio. Sobre él también domina Bernarda.

Más allá de la casa, espacio escénico visible, se encuentra el otro espacio teatral, la calle, presente en el discurso. De ella llegan ruidos —recordemos: en todos los actos, un sonido de campanas—. Para los moradores, para Bernarda y las demás mujeres, la calle finge la libertad, figurada en el amor, encarnado en Pepe el Romano, o en su fotografía; también en los irregulares de la mujer adornada de lentejuelas, en la hija de la Librada; y en Evaristo, novio de Poncia, que quiere atravesar las rejas para tentarla, o en el caballo garañón, que cocea las paredes. Pero la calle es causa confesada de la prisión de los personajes, hasta de la propia Bernarda, carcelera y presa. Allí nace el qué dirán, el sistema de reglas de represión que es preciso acatar sin discutirlo, allí reina la falsedad —otra vez Pepe el Romano, simulación del amor—, la crueldad, la miseria y la falta de caridad. Es el territorio de las apariencias. Nadie se escapa de ese comportamiento antinatural dictado por no se sabe quién, acaso por la propia condición estructural de la sociedad: ni Poncia, ni la mendiga, ni mucho menos la que falta a sus leyes, que será lapidada y se pedirá —no sabemos si se acepta la idea— que le creen un infierno físico interior, que su goce se convierta en sufrimiento, porque lo que se prohíbe, esencialmente, es el placer, que equivale al pecado. «Carbón ardiendo en el sitio de su pecado», dirá Bernarda.

Para vivir en esa casa más extensa que es el pueblo, para ser aceptado por las gentes hipócritas, si es necesario se puede llegar hasta al crimen, con tal que quede fuera del qué dirán. «La hija de la Librada, la soltera» tuvo un hijo solo suyo y del amor, sin que importe el hombre («no se sabe con quién»). Es el hecho, su falta, lo que importa a los demás, a esa masa que Lorca llamará «cinturón de espinas» [VI, 481], refiriéndola al pueblo de *La zapatera.* Cinturón de espinas que en aquella obra, cuando se dice el romance de la talabartera, sirve de intermediario entre el pueblo presente en la escena —el coro del teatro griego o los espectadores de *El retablo de las maravillas*— y el público de la sala, al que se le ha suprimido explícitamente el tradicional «respetable».

En LA CASA DE BERNARDA ALBA, en que el aislamiento de los actores está moral y estéticamente obligado, no es posible crear intermediarios. El público burgués de la sala se corresponde perfectamente con el portador del qué dirán que obliga a falsos comportamientos. Es la cuarta pared, la que falta en la casa cuando se alza el telón. El público del teatro es partícipe y mantenedor de los mismos valores que encarna Bernarda. No es distinto del público (no pueblo) al que se dirige el autor en los *Cristobitas,* en la *Zapatera;* es el mismo que preocupaba y asustaba tanto al poeta en *Dragón* o el que irrumpe y protagoniza *El público,* que no puede aceptar el amor como fuerza primordial —el «amor loco»— y termina destrozando con sus propias manos al Romeo y la Julieta de la obra. O el aún más cruel de la *Comedia sin título,* que, enfrentado con la inanidad de sus valores (como en LA CASA), termina encerrado entre la realidad poética de la calle y la de la escena, tan distintas a su realidad fingida, y se destruye a sí mismo por no aceptar la libertad del hombre y de la conciencia.

Dos «afuera», pues, distintos y coincidentes, simétricos. Uno, el patio de butacas, que representa a la parte de la sociedad que falsea, encadena y oprime; Lorca lo rechaza en su teatro y en su poesía. Se corresponde con el espacio invisible, personificado en el fingido amor del Romano, que huye sin enfrentarse a una muerte teatral, renunciando al amor y a la muerte vitales. A ese mismo afuera quiere negarse el joven de *Así que pasen cinco años:*

> VIEJO.— ¿Qué pasa en la calle?
> JOVEN.— Ruido, ruido siempre, polvo, calor, malos olores. Me molesta que las cosas *[tachado:* «aires»*]* de la calle entren en mi casa. *(Un gemido largo se oye. Pausa)* Juan, cierra la ventana. *(Un criado sutil que anda sobre las puntas de los pies cierra el ventanal)* [ed. Margarita Ucelay, 1995: 198-199].

El otro «afuera», muy distinto, es la calle de la que viene la Zapatera, la que suena en la copla de los segadores o la que busca el marido de Prudencia cuando sale saltando por las tapias del corral, no por la puerta de su casa, que da a la otra calle, la que entra en el teatro en *La comedia sin título.* Quizá también la que está representada en los cuadros que adornan los muros en el primer decorado, no sé si evocación de lo posible o falsía incrustada en lo falso. Con mayor claridad, es el afuera que estalla en la locura de María Josefa, buscando amor y libertad «en las orillas del mar» (estamos en un pueblo de pozos, ni siquiera de ríos); y acaso también la libertad que Adela encuentra en la muerte, al cerrársele en desesperación las puertas del amor o del sexo.

Así, pues, LA CASA DE BERNARDA ALBA se apoya éticamente en la conversión en drama, con personajes concretos, de la erosión de unos valores fosilizados que no se dejan sustituir por otros, válidos para el hombre nuevo que lentamente va cuajando. El hecho recuerda las románticas palabras del relator del avatar de otra casa —edificio, familia y estructura moral— que se va desgastando lentamente hasta que, de pronto, se deshace; el personaje-narrador que cuenta *La caída de la casa Usher* dice: «No había caído parte alguna de la mampostería, y parecía haber una extraña incongruencia entre la perfecta adaptación de las partes y la disgregación de cada piedra».

Valores, erosión y mantenimiento que no son privativos de los personajes que salen a escena, sino del público burgués que presencia la obra, y que —como en el llamado teatro del absurdo— conforma y justifica los comportamientos de los actores. Unas relaciones entre los personajes —actores y miembros de la sociedad— cimentadas en la apariencia, la voluntad de dominio y la crueldad.

Lorca coloca en la vitrina del escenario a la riqueza relativa o su apariencia como fuente de poder, a la tiranía y el odio como sustitutos de los lazos familiares, a la conveniencia social y el terror como sucedáneos del amor y del erotismo, al pertenecer a un grupo que se reconoce frente a los demás —los de afuera— y se acota desde la impiedad, por la falta de caridad, como superior a cualquier otro; en definitiva, al poder tiránico como sustituto válido del principio de autoridad merecido, a la absurda razón del mantenimiento a ultranza de unas normas inhumanas e incomprensibles. Personas o personajes que sustituyen el pensar y el sentir por prejuicios, o, mejor, por pasiones y, de aquí, teatro antipsicológico, como el que quería Valle-Inclán. Temas que se entrecruzan y que son atacados por el poeta con dureza, con tanta severidad como podría hacerlo el grupo surrealista, aunque más disimuladamente, acaso por la necesidad moral —también comercial— de hacer un teatro representable, que no rechace el público: un teatro con argumento, como el que —lo hemos dicho más arriba— preconizaba Antonin Artaud.

Pero muy cercano, salvo en el lenguaje, del «teatro bajo la arena». Surrealista, pues, aunque, salvo en algunos leves momentos, se aleje del sistema expresivo con el que frecuentemente se ha confundido el movimiento. Lorca ve, coincidiendo otra vez con el hereje Artaud, su carácter ético frente a la accidentalidad del onirismo, de la palabra en libertad y de la expresión del inconsciente.

La moral viva, antiburguesa y antitradicional, el ataque a la estructura en que se apoya el grupo social dominante, se puede construir sobre un argumento consistente. Buñuel —vuelvo al amigo que intentó por dos veces llevar BERNARDA al cine— molestará a las clases dominantes con *La edad de oro* (cargada, como *El perro andaluz* y LA CASA DE BERNARDA ALBA, de erotismo malogrado y crueldad) o con *Tierra sin pan,* improyectable durante años. Pero resultará aún más revolucionariamente activo, y más corrosivo, con *Los olvidados,* con *Nazarín,* con *Viridiana* o con *El ángel exterminador,* otra obra de encerrados que ven desmoronarse su sistema de existencia. En todas estas películas las tramas son perfectamente fabulables, al menos en apariencia, y por ello pueden ser aceptadas, aunque sea a regañadientes, por el público al que se implica. A este mismo sentir y a este mismo realizar se adelanta Federico García Lorca con su teatro.

JOAQUÍN FORRADELLAS

BIBLIOGRAFÍA SELECTA

EDICIONES NOTABLES

Editorial Losada, Biblioteca Contemporánea, núm. 153, Imprenta López, Buenos Aires, 1945 [1ª ed.: 14 de marzo de 1945; 2ª, corregida, 3 de octubre de 1945]. Desde 1946 se recoge en el tomo VIII de las *Obras Completas* al cuidado de Guillermo de Torre.

Aguilar, Madrid, 1954. En *Obras Completas*. Ed. de Arturo del Hoyo.
   La primera edición de obra completa en España. El texto sigue, con errores no siempre justificables, el de la edición anterior.

Aymá, S. A. Editora, col. Voz Imagen-Serie Teatro, 2. Barcelona, 1964.
   Ofrece unos «Juicios de García Lorca sobre el arte dramático». Próls. de Domingo Pérez Minik: «Ida y vuelta de Federico García Lorca», y Juan Antonio Bardem: «Un montaje de la casa de Bernarda Alba», que epiloga con «Notas del cuaderno de dirección». Fotografías del montaje y notas a pie de página que explican aspectos de la puesta en escena.

Alianza Editorial. Madrid, 1981 (revisada en 1984). Ed. de Mario Hernández.
   Valiosísimo y muy pertinente prólogo, que sitúa la obra entre las demás de Lorca, escritas o en proyecto. Valora la intención principal, ideológica y estética, de la obra. Para el texto, utiliza por primera vez el manuscrito autógrafo, contrastado con la edición de Losada.

Castalia Didáctica, Madrid, 1983. Ed. de Miguel García Posada.

Magnífica introducción histórica, para situar a Lorca en su época, acompañada de buenos cuadros cronológicos. Se estudian también las posibles fuentes de Lorca. Notas a pie de página muy pertinentes. El texto se establece sobre el manuscrito autógrafo, confrontado con la edición de Mario Hernández. Texto y prólogo se incluirán en el tomo IV de *Obras*, Akal, Madrid, 1992.

University Press, Manchester. Ed. de Herbert Ramsem.

Estudio muy matizado y equilibrado, que destaca tanto la posible dimensión social como la oposición entre vitalismo y represión o, estilísticamente, la interacción entre realidad y poesía. Utilísimas y ponderadas notas.

ESTUDIOS SOBRE LA OBRA

AGUIRRE, «El sonambulismo de Federico García Lorca», en I. M. GIL, ed. 1973: 21-43 [23-25] [antes en *BHiS*, 44, 1967].

El conflicto entre instinto y sociedad, constante estructurador de la obra lorquiana.

ALSINA, Jean, «Le Théâtre critique: réflexions sur le début de *La casa de Bernarda Alba* de Federico García Lorca», *Caravelle*, 23, 1974: 73-91.

Análisis detallado de las escenas que preceden a la primera salida de Bernarda.

ALTOLAGUIRRE, Manuel, «Nuestro teatro», *Hora de España*, núm. 9, septiembre de 1937: 29-37 [36]. También en *Obras Completas*, I, Istmo, Madrid, 1986: 203-211 [210].

ANDERSON, Andrew A., «Representaciones provinciales de dramas de García Lorca en vida del autor», *Segismundo*, 41-42, 1985: 269-281.

Estudio de la recepción de la obra teatral de Lorca antes de 1936, subrayando la extrañeza del público y de la crítica ante ella.

—, «Some Shakespearian Reminiscences in García Lorca's Drama», *Comparative Literature Studies*, 22, 1985: 187-210.

—, «The Strategy of García Lorca's Dramatic Composition, 1930-1936», *RQ*, 33, 1986: 211-229.

Técnica teatral de Lorca. Niega la articulación de *La casa* en una «trilogía rural», aunque aparentemente siga el esquema y orientación de *Bodas de sangre* y *Yerma*.

—, «El último Lorca: unas aclaraciones a *La casa de Bernarda Alba, Sonetos* y *Drama sin título*», en *Lecciones sobre García Lorca*, Comisión Nacional del Cincuentenario, Granada, 1986: 131-145.

Defiende la necesidad de una lectura esencialmente literaria, no ideológica, del teatro lorquiano. Propuestas muy inteligentes para realizarla.

ARCE, Margot, «La casa de Bernarda Alba», *Sin Nombre*, 1, 1970: 5-14.

Inteligente visión impresionista, acaso excesivamente personal, de algunos de los rasgos constitutivos de la obra.

BALBOA ECHEVERRÍA, Miriam, *Lorca: El espacio de la representación. Reflexiones sobre Surrealismo y Teatro*. Edicions del Mall, Barcelona, 1986: *passim*.

Relación entre el «teatro surrealista» de Lorca y sus obras posteriores: *Bodas, Yerma, Doña Rosita* y *La casa de Bernarda Alba*.

BAREA, Arturo, *Lorca, el poeta y su pueblo*. Losada, Buenos Aires, 1956: 55-61.

La obra concebida en oposición al código social vigente.

BELAMICH, André, «*El público* y *La casa de Bernarda Alba*, polos opuestos en la dramaturgia de Lorca», en Ricardo DOMÉNECH, ed. 1985: 77-92.

Comparación, analizando las varias diferencias, entre las dos obras.

BERENGUER CARISOMO, Arturo: *Las máscaras de Federico García Lorca.* Eudeba, Buenos Aires, 1969[2]: *passim.*
Se pone en duda el realismo de *La casa,* destacando su valor de poesía dramática.

BUERO VALLEJO, Antonio, *Tres maestros ante el público.* Alianza, Madrid, 1973: 97-164.
Muy valioso estudio, que sitúa el teatro de García Lorca entre el esperpento de Valle-Inclán y el concepto de lo trágico.

BURTON, Julianne, «The Greatest Punishment. Female and Male in Lorca's Tragedies», en *Women in Hispanic Literature,* Univ. of California Press, Berkeley, 1983: 259-279.
Visión exacerbadamente feminista de los caracteres teatrales de Lorca.

BUSETTE, Cedric, *Obra dramática de García Lorca. Estudio de su configuración.* Las Américas/Anaya, Nueva York, 1971: 78-111.
Concepción de la obra como oposición entre el libre albedrío y determinismo, que da origen a la tragedia.

CAO, Antonio F., *Federico García Lorca y las vanguardias: hacia el teatro.* Tamesis Books, Londres, 1988.

CARBONELL BASSET, Delfín, «Tres dramas existenciales de Federico García Lorca *(Yerma, La casa de Bernarda Alba, Bodas de sangre)»*, *CHiA,* núm. 190, 1965: 118-130.
Estudio crítico basado en la filosofía de Heidegger: Adela, «ser-ahí auténtico», frente a Bernarda, «ser-ahí inauténtico».

CRISPIN, John, *«La casa de Bernarda Alba* dentro de la visión mítica lorquiana», en R. DOMÉNECH, ed. 1985: 171-185.
El encierro de las hijas se presenta como síntoma de la inseguridad y autoengaño de Bernarda.

DAUPHINÉ, James, «Le réalisme symbolique dans *La maison de Bernarda Alba»*, *LNL,* 321, 1979: 85-96.

El drama como resultante de la tensión entre las prohibiciones expresas y la intimidad de los personajes.

DEL MONTE, Alberto, «Il realismo de *La casa de Bernarda Alba*», *Belfagor,* 20, 1965: 130-148.
Véase un comentario a este artículo en Francisco García Lorca, 1980: 403-408.
La obra como muestra y resultante de las tensiones sociopolíticas de la preguerra.

DOMÉNECH, Ricardo, ed., *La casa de Bernarda Alba y el teatro de García Lorca*. Cátedra/ Teatro Español, Madrid, 1985.

—, «Símbolo, mito y rito en *La casa de Bernarda Alba*», en R. DOMÉNECH, ed. 1985: 187-210.
Símbolismo y lenguaje simbólico en *La casa de Bernarda Alba.*

DOUGHERTY, Dru, «El lenguaje del silencio en el teatro de García Lorca», en *Valoración actual de la obra de García Lorca. Lectures actuelles de García Lorca,* Casa de Veláz-quez-Universidad Complutense, Madrid, 1988: 23-39, y en *ALEC,* 11, 1986: 91-110.
El silencio forzado como forma expresiva y opresiva. Valor de la pausa en una posible dirección escénica de Lorca.

EISENBERG, Daniel, «Nuevos documentos relativos a la edición de *Poeta en Nueva York* y otras obras de García Lorca», *Anales de Literatura Española,* 5, 1986-1987: 67-107.
Datos muy importantes para la historia del texto de la obra.

FERGUSSON, Francis, «*Don Perlimplín:* El teatro-poesía de Lorca», en I. M. GIL, 1973: 175-185 [184]. Antes en *The Human Image in Dramatic Literature,* Nueva York, 1957.
Relación de *La casa* con el otro teatro lorquiano.

FERNÁNDEZ CIFUENTES, Luis, *García Lorca en el teatro: la norma y la diferencia*. Prensas Universitarias, Zaragoza,

1986: 183-210 y *passim* [antes en *Iberoromania,* 17, 1983: 66-99].

Inteligentísimo, importante y muy profundo análisis del teatro de Lorca, tanto en su evolución como en cada una de sus obras. Estudio imprescindible.

—, García Lorca, «Historia de una evaluación, evaluación de una historia», en Á. G. LOUREIRO, ed.: *Estelas, laberintos, nuevas sendas,* Anthropos, Barcelona, 1988: 233-262.

Repaso de la estimativa de Lorca entre 1936 y 1986.

FORRADELLAS, Joaquín, Ed. Federico García Lorca. *La zapatera prodigiosa,* Almar, Salamanca, 1978.

GARCÍA LORCA, Francisco, *Federico y su mundo.* Alianza, Madrid, 1980: 372-397 y *passim.*

El hermano del poeta y excelente crítico ofrece datos imprescindibles para el conocimiento del autor y de la obra.

—, «Prólogo a una trilogía dramática», *FGL,* 13-14, mayo 1993: 205-227. [Versión original española del prólogo a *Three Tragedies of Federico García Lorca,* New Directions, Nueva York, 1947: 1-37].

Esclarecedor análisis acerca de la concepción poética del teatro de Lorca, que lo hace diferente del realista convencional.

GARCÍA-LUENGO, Eusebio, «Revisión del teatro de Federico García Lorca», *Primer Acto,* 50, febrero de 1963 [1951]: 20-26.

Crítica y descalificación desde los presupuestos del «realismo crítico». Modelo y base de todos los estudios españoles posteriores que se sustentan en esta estética.

GARCÍA MONTERO, Luis, «La palabra de Ícaro». *Estudios literarios sobre García Lorca y Alberti.* Universidad de Granada, 1996: 29-40, 63-83 y *passim.*

Estudio inteligentísimo y esclarecedor, que arroja luz sobre aspectos muy diversos de la obra de Lorca.

GARCÍA POSADA, Miguel, *García Lorca*. EDAF, Madrid. 1970: *passim*.

Penetrante estudio sobre la estructura e intenciones profundas de *La casa*, incluida, razonablemente, en el teatro poético de Lorca.

—, «Bernarda Alba y sus hijas», *ABC*, 4 de julio de 1985, pág. 3.

Resumen y discusión de los posibles modelos vivos de los personajes, corrigiendo el testimonio de Carlos Morla Linch.

—, «Realidad y transfiguración artística en *La casa de Bernarda Alba*», en Ricardo DOMÉNECH, ed. 1985: 149-170.

Completa su artículo de *ABC* (4 julio 1985) y especifica la importancia del influjo de Pérez Galdos, como dramaturgo, especialmente de su versión de *Doña Perfecta*. Matiza el realismo atribuido a *La casa*, para definirlo, mejor, como «poesía de la realidad». Esencial para esos aspectos.

GIL, Ildefonso Manuel, ed., *Federico García Lorca*. Taurus, Madrid, 1973: 11-20.

GREENFIELD, Sumner, «Lorca's Theatre: A Synthetic Reexamination», *Journal of Spanish Studies: 20th Century*, 5, 1977: 31-41.

Necesidad de leer las obras de Lorca como obras fundamentalmente literarias, no políticas, y propuestas para hacerlo.

GUERRERO ZAMORA, Juan, *Historia del teatro contemporáneo*, (4 vols.). Juan Flors, Barcelona, 1961/1967: I, 83-88, 213-215, y III, 35-96 [68-71].

El teatro de Lorca como juego entre lo cotidiano y lo misterioso. Publica importantes fotografías de algunos montajes.

GUILLÉN, Claudio, «El misterio evidente: en torno a *Así que pasen cinco años*», *FGL*, 7-8, diciembre de 1990: 215-232.

Importante estudio para colocar los recursos teatrales de Lorca en relación con las vanguardias y, en particular, con el surrealismo.

LAFFRANQUE, Marie, *Federico García Lorca. Expérience et conception de la condition du dramaturge*, en J. JACQUOT: *Le Théâtre Moderne*. CNRS, París, 1958: 275-298.

Estudio esencial para ver las resonancias de los sucesos de España en el teatro y obra de Lorca. Se habrán de unir los documentos aparecidos posteriormente.

—, *Les idées esthétiques de Federico García Lorca.* Centre de Recherches Hispaniques, París, 1967: *passim.*

Como los demás trabajos de la autora, éste es un estudio esencial para la comprensión de nuestro autor.

—, «Puertas abiertas y cerradas en la poesía y el teatro de García Lorca», en I. M. GIL, ed. 1973: 249-269.

—, «La comedia sin título», en Federico GARCÍA LORCA: *El público* y *Comedia sin título,* Seix Barral, Barcelona, 1978.

El problema de la verdad y la relación autor-público-escena en las últimas obras de Lorca.

—, *Federico García Lorca, Teatro inconcluso. Fragmentos y proyectos inacabados.* Universidad de Granada, 1987.

El estudio preliminar es imprescindible para cualquier aspecto del teatro de nuestro autor.

—, «Le théâtre de Federico García Lorca et la communication poétique», *Hispanística XX,* 5, enero de 1988: 5-18.

—, «Nuevos elementos de valoración. La obra dramática de García Lorca y su teatro inconcluso», en *Valoración actual de la obra de García Lorca. Lectures actuelles de García Lorca,* Casa de Velázquez-Universidad Complutense, Madrid, 1988: 11-21.

LÁZARO CARRETER, Fernando, «Apuntes sobre el teatro de García Lorca», en I. M. GIL, ed. 1973: 271-286 [antes en *PSA,* 52, julio de 1960: 9-33].

Origen de todos los estudios españoles sobre el teatro de Lorca, su inteligente análisis adolece acaso del parcial conocimiento de la obra de Lorca que se tenía en el momento, aún inédita en su mayor parte. Destaca la intención docente, no política, de *La casa,* así como el valor de la ausencia de lirismo, que podría ser arranque de un teatro nuevo.

MARICHAL, Juan, «El testimonio histórico de Federico García Lorca», *FGL*, 6, diciembre de 1989: 13-25.
Valor testimonial del ambiente amenazante, no de la realidad histórica, en que se inscribe el teatro último de Lorca.

MARTÍNEZ NADAL, Rafael, *El Público. Amor, teatro y caballos en la obra de Federico García Lorca*. The Dolphin Book, Oxford, 1970: *passim*.

—, *Cuatro lecciones sobre Federico García Lorca*. Juan March/Cátedra, Madrid, 1980: *passim*.

MIRÓ GONZÁLEZ, Emilio, «Mujer y hombre en el teatro lorquiano: "¡Amor, amor, amor y eternas soledades!"», en *Valoración actual de la obra de García Lorca. Lectures actuelles de García Lorca*. Casa de Velázquez-Universidad Complutense, Madrid, 1988: 41-60 [55-58].

MONLEÓN, José, «Cinco imágenes de la historia política española a través de otros tantos montajes de *La casa de Bernarda Alba*», *CHiA*, 433-434, julio-agosto de 1986: 371-383.
Aunque se defiende la lectura política de la obra, se plantea la posibilidad de otras lecturas. Se revisan someramente cinco montajes: el de Margarita Xirgu, el de Bardem, el de Facio, el de Plaza y el del grupo «La Jácara».

MORA GUARNIDO, José, *Federico García Lorca y su mundo. Testimonio para una biografía*. Buenos Aires, Losada, 1958: 166-176 y *passim*.

MORLA LINCH, Carlos, «En España con Federico García Lorca». *Páginas de un diario íntimo, 1928-1936*. Aguilar, Madrid, 1958[2]: 487-490.

MORRIS, C. Brian, «The 'Austere Abode': Lorca's *La casa de Bernarda Alba*», *Anales de la Literatura Española Contemporánea*, 11, 1986: 129-141.

Visión psicoanalítica en que Bernarda es la Madre y la casa el Hogar, ambos opresivos. El espectador, oyente oculto, pone de manifiesto la fragilidad de las paredes.

—, «García Lorca, La casa de Bernarda Alba», *Critical Guides to Spanish Texts,* 50, Grant and Cutler/ Tamesis Books, Londres, 1990.

Muy completa guía, con presupuestos críticos anglosajones, a la que se añade una utilísima bibliografía. Supone una perspectiva diferente de la obra teatral.

NOURISSIER, François, *Federico García Lorca dramaturge.* L'Arche, París [1955].

OLMOS GARCÍA, Francisco, «García Lorca y el teatro clásico», *LNL,* 54/153, 1960: 36- 67.

Análisis muy inteligente, de corte marxista.

ONTAÑÓN, Santiago, y MOREIRO, José María, *Unos pocos amigos verdaderos.* Fundación Banco Exterior, Madrid, 1988.

RINCÓN, Carlos, *«La casa de Bernarda Alba* de Federico García Lorca», en *Beiträge zur Französichen Aufklärung und zür Spanischen Literatur. Festgabe für Werner Krauss zum 70. Geburststag,* Akademie Verlag, Berlín, 1971: 555-584.

Estudio marxista de *La casa,* vista como reflejo de una relación social semifeudal. Anuncio de una nueva moral, personificada en Adela y María Josefa.

RÍO, Ángel del, *Vida y obra de Federico García Lorca.* Zaragoza, Heraldo de Aragón, 1952.

RODRÍGUEZ, Alfredo, «Bernarda Alba. Creation and Defiance», *RN,* 21, 1981-1982: 279-280.

El carácter de Bernarda está creado enfrentándolo al prototipo teatral tradicional de la mujer.

RUBIA BARCIA, José, «El realismo "mágico" de *La casa de Bernarda Alba»*, en I. M. GIL, ed. 1973: 301-321 [antes en *RHM*, 31, 1965: 385-398].

Análisis muy cuidadoso de la imbricación de una capa realista y otra poética en la concepción y realización de la pieza teatral.

RUIZ RAMÓN, Francisco, *Historia del teatro español. Siglo XX.* Cátedra, Madrid, 1975²: 173-209 [207-209].

El universo dramático de Lorca, resultante del conflicto entre el principio de autoridad y el de libertad.

—, «Espacios dramáticos en *La casa de Bernarda Alba»*, *Gestos*, 1, 1986: 87-100.

Dialexis entre espacio cerrado, construido, que responde a la razón, espacio de la mujer, y espacio abierto de lo irracional, espacio del hombre. La dicotomía proviene de la tragedia griega.

SÁNCHEZ, Roberto G., «La última manera dramática de García Lorca (hacia una clarificación de lo "social" en su teatro)», *PSA*, núm. 178, enero de 1971: 83-102.

Crítica social de inspiración ibseniana en *La casa,* que hace que se oponga a *Yerma* o *Bodas.* Confunde *La casa* con *La destrucción de Sodoma.*

SCARPA, Roque Esteban, *Introducción a Federico García Lorca: Yerma. La casa de Bernarda Alba.* Andrés Bello, Santiago de Chile, 1981.

Estudio detallado de la obra, desde las premisas de la mejor estilística.

SERRANO CARRASCO, Cristina, *La casa de Bernarda Alba.* CEAC-Libros Cúpula, Barcelona, 1989.

Buena guía, que apunta los problemas principales que plantea la obra. Libro muy útil.

SEYBOLT, Richard A., «*La casa de Bernarda Alba:* A Jungian Analysis», Kentucky *RQ*, 29, 1982: 125-133.

Cuidadoso e interesante análisis, sobre todo por su original enfoque.

SHAW, Donald L., «Lorca's Late Plays and the Idea of Tragedy», en *Essays on Hispanic Themes in Honour of Edward*

C. *Riley,* Department of Hispanic Studies, Univ. of Edinburgh, 1989: 200-208.
Variaciones de lo trágico y su realización en el último Lorca.

SILVER, Philip W., «El metateatro de Federico García Lorca», en *La casa de Anteo.* Taurus, Madrid, 1985: 157-190.
En el teatro de Lorca, sobre la realidad actúa la «imaginación poética», en el sentido de que el poeta desarrolla en su conferencia *Imaginación, inspiración, evasión.*

SPERATTI PIÑERO, Emma Susana, «Paralelo entre *Doña Perfecta* y *La casa de Bernarda Alba*», *Rev. de la Universidad de Buenos Aires,* 4, 1959, 369-378.
Primer y muy inteligente acercamiento a la fuente galdosiana de *La casa.*

TORRENTE BALLESTER, Gonzalo, «Bernarda Alba y sus hijas, o un mundo sin perdón», en *Teatro español contemporáneo,* Madrid, Guadarrama, 1968[2]: 235-250, y en *Ensayos críticos,* Barcelona, Destino, 1982: 244-256.
Relación con el drama rural, especialmente el de Benavente, y con *La hija de Iorio* de d'Annuncio. Indefinición literaria de los personajes.

UCELAY, Margarita, «Federico García Lorca y el Club Teatral Anfistora: el dramaturgo como director de escena», en *Lecciones sobre García Lorca,* Comisión Nacional del cincuentenario, Granada, 1986: 51-64.
Visión esclarecedora de la labor y criterios de García Lorca, como director teatral, que ayudan a comprender su actitud como autor. El trabajo se completa perfectamente con sus ejemplares ediciones de *Don Perlimplín* (Madrid, Cátedra, 1990) y *Así que pasen cinco años* (Madrid, Cátedra, 1995).

VÁZQUEZ OCAÑA, Fernando, *García Lorca. Vida, cántico y muerte.* Grijalbo, México, 1957: 273-77 y 355-85.
Biografía combinada con el análisis, a veces muy penetrante, de las obras. Recoge recuerdos y comentarios de exiliados españoles en México. Señala coincidencias entre *La casa* y el teatro de O'Neill.

YNDURÁIN, Domingo, «Introspección en *Bernarda Alba»,* en Homenaje al Profesor Antonio Gallego Morell, III, Univ. de Granada, 1989: 489-494.
Interpretación de la obra desde lo dicho y lo callado por los personajes.

YNDURÁIN, Francisco, *«La casa de Bernarda Alba:* ensayo de interpretación», en R. DOMÉNECH, ed. 1985: 123-145.
Resumen de interpretaciones anteriores de la obra, privilegiando la erótica.

LA CASA DE
BERNARDA ALBA

Drama de mujeres
en los pueblos de España

PERSONAS

BERNARDA, 60 años
MARÍA JOSEFA (madre de Bernarda), 80 años
ANGUSTIAS (hija de Bernarda), 39 años
MAGDALENA (hija de Bernarda), 30 años
AMELIA (hija de Bernarda), 27 años
MARTIRIO (hija de Bernarda), 24 años
ADELA (hija de Bernarda), 20 años
CRIADA, 50 años
LA PONCIA (criada), 60 años
PRUDENCIA, 50 años
MENDIGA CON NIÑA
MUJERES DE LUTO
MUJER 1.ª
MUJER 2.ª
MUJER 3.ª
MUJER 4.ª
MUCHACHA

El poeta advierte que estos tres actos tienen la intención de un documental fotográfico.

ACTO PRIMERO

(Habitación blanquísima del interior de la casa de BER-
NARDA. *Muros gruesos. Puertas en arco con cortinas de
yute rematadas con madroños y volantes. Sillas de anea.
Cuadros con paisajes inverosímiles de ninfas, o reyes de leyenda. Es verano. Un gran silencio umbroso se extiende
por la escena. Al levantarse el telón está la escena sola. Se
oyen doblar las campanas.)* [1]

(Sale la CRIADA 1.ª*)*

---

[1]   El escenario todo reproduce la habitación de una casa campesina
de mediano pasar, con ciertas ínfulas. Alguno de los elementos de la de-
coración puede tener una función simbólica: los *muros gruesos,* que indican el aislamiento de la casa; el color blanco, en juego con el apellido
Alba, aunque el *blanco muro* evoca al cementerio: «¡Oh blanco muro de
España! / ¡Oh negro toro de pena!» [II, 387]; los *cuadros con paisajes
inverosímiles,* evocación de otro mundo posible y también falso; etc. //
Yute «fibra textil que se importaba de la India a través de Inglaterra»; se
usaba para tejer cretonas e indianas, con las que se tapizaban muebles o se
hacían, como en este caso, cortinas, rematadas en la parte superior con una
vuelta terminada en *madroños* «borlitas redondas». // Las sillas con asiento
de *anea* «especie de junco» son propias de casas rurales. // El sonido de las
campanas se reiterará a lo largo de toda la obra; aquí *doblan* «tocan a difuntos», volteando.

CRIADA

Ya tengo el doble de esas campanas metido entre las sienes.

LA PONCIA
(Sale comiendo chorizo y pan.)

Llevan ya más de dos horas de gori-gori[2]. Han venido curas de todos los pueblos. La iglesia está hermosa. En el primer responso se desmayó la Magdalena[3].

CRIADA

Ésa es la que se queda más sola.

PONCIA

Era a la única que quería el padre. ¡Ay! Gracias a Dios que estamos solas un poquito. Yo he venido a comer.

CRIADA

¡Si te viera Bernarda!

PONCIA

¡Quisiera que ahora, como no come ella, que todas nos muriéramos de hambre! ¡Mandona! ¡Dominanta! ¡Pero se fastidia! Le he abierto la orza de chorizos[4].

---

[2]   *gorigori:* «fórmula popular para designar los cantos del responso de difuntos».

[3]   *la Magdalena:* el uso del artículo precediendo al nombre de mujer se considera incorrecto, pero es muy frecuente en el habla popular española. Las formas populares, no vulgares, sirven para caracterizar a Poncia.

[4]   *orza de chorizos:* «vasija de barro vidriado» en que se conservan en grasa algunos productos semicocinados de la matanza del cerdo.

CRIADA
(Con tristeza, ansiosa.)

¿Por qué no me das para mi niña, Poncia?

PONCIA

Entra y llévate también un puñado de garbanzos. ¡Hoy no se dará cuenta!

VOZ
(Dentro.)

¡Bernarda!

PONCIA

La vieja. ¿Está bien encerrada?[5].

CRIADA

Con dos vueltas de llave.

PONCIA

Pero debes poner también la tranca. Tiene unos dedos como cinco ganzúas.

VOZ

¡Bernarda!

---

[5]   Obsérvese que tanto la figura de Bernarda como la de María Josefa se presentan teatralmente antes de aparecer sobre la escena.

PONCIA
(A voces.)

¡Ya viene! *(A la* CRIADA.*)* Limpia bien todo. Si Bernarda
no ve relucientes las cosas me arrancará los pocos pelos
que me quedan.

CRIADA

¡Qué mujer!

PONCIA

Tirana de todos los que la rodean. Es capaz de sentarse
encima de tu corazón y ver cómo te mueres durante un año
sin que se le cierre esa sonrisa fría que lleva en su maldita
cara. ¡Limpia, limpia ese vidriado! [6].

CRIADA

Sangre en las manos tengo de fregarlo todo.

PONCIA

Ella, la más aseada, ella, la más decente, ella, la más alta.
Buen descanso ganó su pobre marido.

(Cesan las campanas.)

CRIADA

¿Han venido todos sus parientes?

---

[6]   *vidriado:* «vajilla, sobre todo fuentes y platos grandes de servir,
hechos de cerámica vidriada».

PONCIA

Los de ella. La gente de él la odia. Vinieron a verlo muerto, y le hicieron la cruz[7].

CRIADA

¿Hay bastantes sillas?

PONCIA

Sobran. Que se sienten en el suelo. Desde que murió el padre de Bernarda no han vuelto a entrar las gentes bajo estos techos. Ella no quiere que la vean en su dominio. ¡Maldita sea!

CRIADA

Contigo se portó bien.

PONCIA

Treinta años lavando sus sábanas, treinta años comiendo sus sobras[8], noches en vela cuando tose, días enteros mirando por la rendija para espiar a los vecinos y llevarle el cuento; vida sin secretos una con otra, y sin embargo, ¡maldita sea! ¡mal dolor de clavo[9] le pinche en los ojos!

---

[7] *le hicieron la cruz:* «pusieron fin a todo trato con Bernarda». Es frase hecha popular, emparentada con la de *cruz y raya.*

[8] *comiendo sus sobras:* «sirviéndola con confianza». En las casas se llevaba toda la comida a la mesa de los señores y lo que sobraba volvía a la cocina para que comiesen los criados.

[9] *dolor de clavo:* «dolor en el nervio óptico». Andalucismo, que recoge Alcalá Venceslada en su *Vocabulario andaluz.*

CRIADA

¡Mujer!

PONCIA

Pero yo soy buena perra [10]: ladro cuando me lo dice y
muerdo los talones de los que piden limosna cuando ella
me azuza; mis hijos trabajan en sus tierras y ya están los
dos casados, pero un día me hartaré.

CRIADA

Y ese día...

PONCIA

Ese día me encerraré con ella en un cuarto y le estaré escu-
piendo un año entero. «Bernarda, por esto, por aquello, por lo
otro», hasta ponerla como un lagarto machacado por los niños,
que es lo que es ella y toda su parentela. Claro es que no le en-
vidio la vida. Le quedan cinco mujeres, cinco hijas feas, que
quitando a Angustias, la mayor, que es la hija del primer marido y tiene dineros, las demás, mucha puntilla bordada, muchas camisas de hilo [11], pero pan y uvas por toda herencia [12].

---

[10]   *buena perra:* «muy sumisa y fiel», con el símbolo habitual del perro.
Compárese: «Si soy el perro de tu señorío», *Soneto de la dulce queja*
[I, 940]. La falta de caridad presente en toda la obra se anuncia en la frase
«muerdo los talones de los que piden limosna cuando ella me azuza».
[11]   *camisas de hilo:* «de hilo de lino», más caras y lujosas que las co-
munes de cáñamo o algodón.
[12]   La oposición empleada como juicio peyorativo, entre las apariencias y la situación real no es rara en la literatura de corte popular. Compárese: «Tanto vestido blanco, / tanta parola, / y el puchero a la lumbre /
con agua sola» (Miguel Ramos Carrión, *Agua, azucarillos y aguardiente*). Y recuérdese el hidalgo del *Lazarillo de Tormes:* // *Pan con uvas*
era la merienda del campesino pobre.

CRIADA

¡Ya quisiera tener yo lo que ellas!

PONCIA

Nosotras tenemos nuestras manos y un hoyo en la tierra de la verdad [13].

CRIADA

Ésa es la única tierra que nos dejan a los que no tenemos nada.

PONCIA
(En la alacena [14].)

Este cristal tiene unas motas.

CRIADA

Ni con el jabón ni con bayeta se le quitan.

. (Suenan las campanas.)

PONCIA

El último responso. Me voy a oírlo. A mí me gusta mucho cómo canta el párroco. En el «Pater Noster» subió, subió, subió la voz que parecía un cántaro llenándose de agua poco a poco. ¡Claro es que al final dio un gallo, pero da gloria oírlo! Ahora que nadie como el antiguo sacristán Tron-

---

[13] *tierra de la verdad:* «el cementerio».
[14] *alacena:* «aparador, mueble en que se guarda la vajilla y la cubertería fina».

chapinos [15]. En la misa de mi madre, que esté en gloria, cantó. Retumbaban las paredes y cuando decía amén era como si un lobo hubiese entrado en la iglesia. *(Imitándolo.)* ¡Améeem! [16]. *(Se echa a toser.)*

CRIADA

Te vas a hacer el gaznate polvo.

PONCIA

¡Otra cosa hacía polvo yo! [17]. *(Sale riendo.)*

(La CRIADA *limpia. Suenan las campanas.)*

CRIADA
(Llevando el canto.)

Tin, tin, tan. Tin, tin, tan. ¡Dios lo haya perdonado!

MENDIGA
(Con una niña.)

¡Alabado sea Dios! [18].

---

[15] *Tronchapinos:* según parece, apodo con que se conocía a un sacristán granadino, famoso por su voz potente.

[16] *¡Améeem!:* la grafía trata de ayudar al actor para que cante con voz resonante. Por eso el cambio final de *n* a *m.*

[17] *¡Otra cosa hacía polvo yo!:* juego de palabras levemente picante, de aire muy popular.

[18] *¡Alabado sea Dios!:* fórmula popular de saludo, a la que se respondía «¡Sea por siempre bendito y alabado!». La respuesta de la criada no sólo es malhumorada, sino despectiva y descuidada: se incluye, como un sonido más, entre los del clamor de las campanas que acompaña la criada con la voz.

CRIADA

Tin, tin, tan. ¡Que nos espere muchos años! Tin, tin tan.

MENDIGA
(Fuerte, con cierta irritación.)

¡Alabado sea Dios!

CRIADA
(Irritada.)

¡Por siempre!

MENDIGA

Vengo por las sobras.

(Cesan las campanas.)

CRIADA

Por la puerta se va a la calle. Las sobras de hoy son para mí.

MENDIGA

Mujer, tú tienes quien te gane. Mi niña y yo estamos solas.

CRIADA

También están solos los perros y viven.

MENDIGA

Siempre me las dan.

CRIADA

Fuera de aquí. ¿Quién os dijo que entrarais? Ya me habéis dejado los pies señalados. *(Se van, limpia.)* Suelos barnizados con aceite, alacenas, pedestales, camas de acero [19], para que traguemos quina las que vivimos en las chozas de tierra con un plato y una cuchara [20]. ¡Ojalá que un día no quedáramos ni uno para contarlo! *(Vuelven a sonar las campanas.)* Sí, sí, ¡vengan clamores!, ¡venga caja con filos dorados y toallas de seda para llevarla!; ¡que lo mismo estarás tú que estaré yo! Fastídiate, Antonio María Benavides, tieso con tu traje de paño y tus botas enterizas [21]. ¡Fastídiate! ¡Ya no volverás a levantarme las enaguas detrás de la puerta de tu corral! *(Por el fondo [22], de dos en dos, empiezan a entrar MUJERES DE LUTO, con pañuelos grandes, faldas y abanicos negros. Entran lentamente hasta llenar la escena.)*

CRIADA
(Rompiendo a gritar.)

¡Ay Antonio María Benavides, que ya no verás estas paredes, ni comerás el pan de esta casa! Yo fui la que más te

---

[19]   *pedestales:* «maceteros» // las *camas de acero* tenían más prestigio social que las de madera: «Compadre, quiero morir / decentemente en mi cama. / De acero, si puede ser, / con las sábanas de holanda» *(Romance sonámbulo* [II, 148]).

[20]   *con un plato y una cuchara:* «con sólo lo indispensable», símbolo de la pobreza. «El ajuar de Juan de Matos, cuchara, escudilla y plato», refrán.

[21]   *botas enterizas:* «botas de caña alta». El vestido descrito es de señorito, frente al traje de pana y las alpargatas o zapatos con polainas de los peones.

[22]   *por el fondo:* es muy posible que Lorca pensase en el *fondo* de la sala. Las mujeres irían avanzando entre el público por el pasillo del patio de butacas.

quiso de las que te sirvieron. (*Tirándose del cabello.*) ¿Y he de vivir yo después de haberte marchado? ¿Y he de vivir?[23].

(*Terminan de entrar las doscientas* MUJERES *y aparece* BERNARDA *y sus cinco* HIJAS. BER-NARDA *viene apoyada en un bastón.*)[24]

BERNARDA
(*A la* CRIADA.)

¡Silencio![25].

CRIADA
(*Llorando.*)

¡Bernarda!

BERNARDA

Menos gritos y más obras. Debías haber procurado que todo esto estuviera más limpio para recibir al duelo. Vete. No es éste tu lugar. (*La* CRIADA *se va sollozando.*) Los pobres son como los animales. Parece como si estuvieran hechos de otras sustancias.

---

[23]   *¿Y he de vivir?:* la criada reproduce el llanto de las plañideras, mujeres contratadas para llorar y clamar en los entierros.

[24]   *doscientas:* «muchísimas», modo de expresar en el habla popular un número indeterminado y grande. // Obsérvese cómo se destacan teatralmente los seis personajes principales entre el friso de negras figuras.

[25]   *¡Silencio!:* la orden con que se presenta Bernarda, igual a la que cierra su intervención en la obra e irradia al discurso entero, sirve para configurar las características fundamentales de su personaje y aun de la obra.

MUJER 1.ª

Los pobres sienten también sus penas.

BERNARDA

Pero las olvidan delante de un plato de garbanzos.

MUCHACHA 1.ª
(Con timidez.)

Comer es necesario para vivir.

BERNARDA

A tu edad no se habla delante de las personas mayores.

MUJER 1.ª

Niña, cállate.

BERNARDA

No he dejado que nadie me dé lecciones. Sentarse. *(Se sientan. Pausa. Fuerte.)* Magdalena, no llores. Si quieres llorar te metes debajo de la cama. ¿Me has oído?

MUJER 2.ª
(A BERNARDA.*)*

¿Habéis empezado los trabajos en la era?

BERNARDA

Ayer.

MUJER 3.ª

Cae el sol como plomo.

MUJER 1.ª

Hace años no he conocido calor igual.

(Pausa. Se abanican todas.)

BERNARDA

¿Está hecha la limonada?

PONCIA

Sí, Bernarda. *(Sale con una gran bandeja llena de jarritas blancas, que distribuye.)*

BERNARDA

Dale a los hombres.

PONCIA

La están tomando en el patio.

BERNARDA

Que salgan por donde han entrado. No quiero que pasen por aquí.

MUCHACHA
(A ANGUSTIAS.*)*

Pepe el Romano estaba con los hombres del duelo.

ANGUSTIAS

Allí estaba.

BERNARDA

Estaba su madre. Ella ha visto a su madre. A Pepe no lo ha visto ni ella ni yo.

MUCHACHA

Me pareció...

BERNARDA

Quien sí estaba era el viudo de Darajalí. Muy cerca de tu tía. A ése lo vimos todas.

MUJER 2.ª
(Aparte y en baja voz.)

¡Mala, más que mala!

MUJER 3.ª
(Aparte y en baja voz.)

¡Lengua de cuchillo!

BERNARDA

Las mujeres en la iglesia no deben mirar más hombre que al oficiante, y a ése porque tiene faldas. Volver la cabeza es buscar el calor de la pana [26].

---

[26] *calor de la pana:* «el arrimo del hombre», con un doble tropo: *pana* por «pantalones».

MUJER 1.ª
(En voz baja.)

¡Vieja lagarta recocida! [27].

PONCIA
(Entre dientes.)

¡Sarmentosa por calentura de varón! [28].

BERNARDA
(Dando un golpe de bastón en el suelo.)

Alabado sea Dios.

TODAS
(Santiguándose.)

Sea por siempre bendito y alabado.

BERNARDA

Descansa en paz con la santa
compaña de cabecera [29].

---

[27] *lagarta recocida:* «vieja taimada rencorosa, reconcomida»: «Las mujeres sin novio están pochas, recocidas y todas ellas...» *(Doña Rosita la soltera* [IV, 265]).

[28] *¡Sarmentosa por calentura de varón!:* «retorcida y reseca por deseo incumplido».

[29] Lorca parece referirse aquí a las almas del paraíso, mejor que a la *santa compaña* o estantigua de la tradición gallega, teoría de ánimas en pena que recorren los caminos por la noche. Bernarda, con este responso en verso, imita, en forma popular, la recitación de los salmos del oficio de difuntos o la secuencia «Dies irae».

TODAS

¡Descansa en paz!

BERNARDA

Con el ángel San Miguel
y su espada justiciera [30].

TODAS

¡Descansa en paz!

BERNARDA

Con la llave que todo lo abre
y la mano que todo lo cierra [31].

TODAS

¡Descansa en paz!

BERNARDA

Con los bienaventurados
y las lucecitas del campo [32].

TODAS

¡Descansa en paz!

---

[30] San Miguel, que se representa con una espada alzada en su mano, defiende las puertas del paraíso.

[31] *la llave* parece referencia a San Pedro, portero del cielo; la *mano*, a la mano justiciera de Dios.

[32] *lucecitas del campo:* «luciérnagas», que en la tradición popular son almas de bienaventurados que por encargo de Dios cuidan de los hombres buenos.

BERNARDA

Con nuestra santa caridad
y las almas de tierra y mar.

TODAS

¡Descansa en paz!

BERNARDA

Concede el reposo a tu siervo Antonio María Benavides
y dale la corona de tu santa gloria.

TODAS

Amén.

BERNARDA
(Se pone de pie y canta.)

«Requiem aeternam dona eis, Domine».

TODAS
(De pie y cantando al modo gregoriano.)

«Et lux perpetua luceat eis» [33]. *(Se santiguan.)*

MUJER 1.ª

Salud para rogar por su alma. *(Van desfilando.)*

---

[33] «Dales, Señor, el descanso eterno. / Y brille para ellos la luz eterna». Son las palabras con que se cierra cada una de las lecciones del oficio de difuntos.

MUJER 3.ª

No te faltará la hogaza de pan caliente[34].

MUJER 2.ª

Ni el techo para tus hijas. *(Van desfilando todas por delante de* BERNARDA *y saliendo.)*

> *(Sale* ANGUSTIAS *por otra puerta, la que da al patio.)*

MUJER 4.ª

El mismo lujo de tu casamiento lo sigas disfrutando.

PONCIA
(Entrando con una bolsa.)

De parte de los hombres esta bolsa de dineros para responsos[35].

BERNARDA

Dales las gracias y échales una copa de aguardiente[36].

---

[34] *hogaza de pan caliente:* «pan grande, redondo» recién hecho. En los pueblos los asistentes a los funerales se despiden de los deudos pronunciando unas frases de consuelo que, en este caso, ejemplifican los dichos, tan poco caritativos, de «el muerto al hoyo y el vivo al bollo» o «los duelos con pan son menos».

[35] Es costumbre tradicional recoger en la oblación de la misa de difuntos dinero para contribuir al pago de las misas gregorianas, que se ofician durante treinta días seguidos.

[36] Obsérvese el tono despectivo del *échales* y el cambio de la limonada anterior por el *aguardiente* después de recibir el dinero.

MUCHACHA
(A MAGDALENA.)

Magdalena.

BERNARDA
(A sus hijas. A MAGDALENA que inicia el llanto.)

Chissssss. (Golpea con el bastón. Salen todas. A las que se han ido.) ¡Andar a vuestras cuevas a criticar todo lo que habéis visto! Ojalá tardéis muchos años en volver a pasar el arco de mi puerta.

PONCIA

No tendrás queja ninguna. Ha venido todo el pueblo.

BERNARDA

Sí; para llenar mi casa con el sudor de sus refajos [37] y el veneno de sus lenguas.

AMELIA

¡Madre, no hable usted así!

BERNARDA

Es así como se tiene que hablar en este maldito pueblo sin río, pueblo de pozos [38], donde siempre se bebe el agua con el miedo de que esté envenenada.

---

[37]   *refajos:* «faldas interiores de bayeta».
[38]   *pueblo de pozos:* el agua que no corre, que no desemboca, sea pozo, aljibe o incluso pecera, tiene siempre en Lorca resonancias de muerte. Sin más, compárese: «El pueblo sin fuente es cerrado, como oscurecido y cada casa es un mundo aparte que se defiende del vecino. Fuente se llama este pueblo. Fuente que tiene sus corazones en el agua bienhechora» [VI, 376].

PONCIA

¡Cómo han puesto la solería! [39].

BERNARDA

Igual que si hubiese pasado por ella una manada de cabras. *(La* PONCIA *limpia el suelo.)* Niña, dame un abanico.

ADELA

Tome usted. *(Le da un abanico redondo con flores rojas y verdes* [40].*)*

BERNARDA
(Arrojando el abanico al suelo.)

¿Es éste el abanico que se da a una viuda? Dame uno negro y aprende a respetar el luto de tu padre.

MARTIRIO

Tome usted el mío.

BERNARDA

¿Y tú?

MARTIRIO

Yo no tengo calor.

---

[39]   *solería:* «suelo de baldosa».
[40]   Las flores y los colores rojo y verde son evidentes símbolos de valor erótico.

BERNARDA

Pues busca otro, que te hará falta. En ocho años que dure el luto no ha de entrar en esta casa el viento de la calle. Haceros cuenta que hemos tapiado con ladrillos puertas y ventanas. Así pasó en casa de mi padre y en casa de mi abuelo. Mientras, podéis empezar a bordaros el ajuar. En el arca tengo veinte piezas de hilo con el que podréis cortar sábanas y embozos. Magdalena puede bordarlas[41].

MAGDALENA

Lo mismo me da.

ADELA
(Agria.)

Si no quieres bordarlas, irán sin bordados. Así las tuyas lucirán más.

MAGDALENA

Ni las mías ni las vuestras. Sé que yo no me voy a casar. Prefiero llevar sacos al molino[42]. Todo menos estar sentada días y días dentro de esta sala oscura.

BERNARDA

Eso tiene ser mujer.

---

[41]   *embozos:* «tiras bordadas que se aplican sobre otras prendas». // Para el valor indicial de *bordar,* véase el diálogo *La doncella, el marinero y el estudiante* [V, 35-41] o *Elenita [Teatro inédito de juventud,* 383-399].
[42]   Tradicionalmente, el molino es escenario de encuentros eróticos.

MAGDALENA

Malditas sean las mujeres.

BERNARDA

Aquí se hace lo que yo mando. Ya no puedes ir con el cuento a tu padre. Hilo y aguja para las hembras. Látigo y mula para el varón. Eso tiene la gente que nace con posibles [43].

(*Sale* ADELA.)

VOZ

Bernarda, ¡déjame salir!

BERNARDA
(En voz alta.)

¡Dejadla ya!

(*Sale la* CRIADA 1.ª)

CRIADA

Me ha costado mucho sujetarla. A pesar de sus ochenta años, tu madre es fuerte como un roble.

BERNARDA

Tiene a quién parecérsele. Mi abuela fue igual.

---

[43] *que nace con posibles:* «que pertenece a una familia con dinero». Con esta frase, que recuerda a los tópicos de las obligaciones de la hidalguía, Bernarda recalca la separación de clases que ya había marcado antes: «Los pobres son como los animales. Parece como si estuvieran hechos de otras sustancias».

CRIADA

Tuve durante el duelo que taparle varias veces la boca
con un costal vacío porque quería llamarte para que le die-
ras agua de fregar siquiera para beber y carne de perro, que
es lo que ella dice que le das.

MARTIRIO

¡Tiene mala intención!

BERNARDA
(A la CRIADA.*)*

Déjala que se desahogue en el patio.

CRIADA

Ha sacado del cofre sus anillos y los pendientes de ama-
tistas, se los ha puesto y me ha dicho que se quiere casar.

(Las HIJAS *ríen.)*

BERNARDA

Ve con ella y ten cuidado que no se acerque al pozo.

CRIADA

No tengas miedo que se tire.

BERNARDA

No es por eso. Pero desde aquel sitio las vecinas pueden
verla desde su ventana.

(Sale la CRIADA.*)*

MARTIRIO

Nos vamos a cambiar la ropa.

BERNARDA

Sí; pero no el pañuelo de la cabeza[44]. *(Entra* ADELA.) ¿Y Angustias?

ADELA
(Con retintín.)

La he visto asomada a la rendija del portón. Los hombres se acababan de ir.

BERNARDA

¿Y tú a qué fuiste también al portón?

ADELA

Me llegué a ver si habían puesto las gallinas.

BERNARDA

¡Pero el duelo de los hombres habría salido ya!

ADELA
(Con intención.)

Todavía estaba un grupo parado por fuera.

---

[44]   En los lutos de familiares cercanos, las mujeres, que no podían mostrarse a nadie con el pelo descubierto, llevaban la cabeza cubierta con un velo o pañuelo negro. En los montajes españoles se ha suprimido esta frase, porque obligaría a que las hijas llevasen pañuelo durante toda la representación.

BERNARDA
(Furiosa.)

¡Angustias! ¡Angustias!

ANGUSTIAS
(Entrando.)

¿Qué manda usted?

BERNARDA

¿Qué mirabas y a quién?

ANGUSTIAS

A nadie.

BERNARDA

¿Es decente que una mujer de tu clase vaya con el anzuelo detrás de un hombre el día de la misa de su padre? ¡Contesta! ¿A quién mirabas?

(Pausa.)

ANGUSTIAS

Yo...

BERNARDA

¡Tú!

ANGUSTIAS

¡A nadie!

BERNARDA
(Avanzando con el bastón.)

¡Suave! ¡Dulzarrona! *(Le da.)*

PONCIA
(Corriendo.)

¡Bernarda, cálmate! *(La sujeta.)*

(ANGUSTIAS llora.)

BERNARDA

¡Fuera de aquí todas! *(Salen.)*

PONCIA

Ella lo ha hecho sin dar alcance a lo que hacía [45], que está francamente mal. ¡Ya me chocó a mí verla escabullirse hacia el patio! Luego estuvo detrás de una ventana oyendo la conversación que traían los hombres, que, como siempre, no se puede oír.

BERNARDA

¡A eso vienen a los duelos! *(Con curiosidad.)* ¿De qué hablaban?

---

[45] *sin dar alcance a lo que hacía:* «sin darse cuenta de la importancia de lo que hacía».

PONCIA

Hablaban de Paca la Roseta. Anoche ataron a su marido a un pesebre [46] y a ella se la llevaron a la grupa del caballo hasta lo alto del olivar.

BERNARDA

¿Y ella?

PONCIA

Ella, tan conforme. Dicen que iba con los pechos fuera y Maximiliano la llevaba cogida como si tocara la guitarra. ¡Un horror!

BERNARDA

¿Y qué pasó?

PONCIA

Lo que tenía que pasar. Volvieron casi de día. Paca la Roseta traía el pelo suelto y una corona de flores en la cabeza [47].

BERNARDA

Es la única mujer mala que tenemos en el pueblo.

---

[46]   *Roseta:* en Andalucía, es un tipo de trampa para cazar pájaros. // *a un pesebre:* Lo trataron, de obra, como a un buey, «cornudo y manso».

[47]   La vuelta, entre vergonzosa y triunfante de Paca la Roseta recuerda la de Mari-Gaila en el último cuadro de *Divinas Palabras* de Valle-Inclán. La figura narrada de la Roseta se opone, teatralmente, a la de las hijas de Bernarda.

PONCIA

Porque no es de aquí. Es de muy lejos. Y los que fueron con ella son también hijos de forastero. Los hombres de aquí no son capaces de eso.

BERNARDA

No; pero les gusta verlo y comentarlo y se chupan los dedos [48] de que esto ocurra.

PONCIA

Contaban muchas cosas más.

BERNARDA
(Mirando a un lado y otro con cierto temor.)

¿Cuáles?

PONCIA

Me da vergüenza referirlas.

BERNARDA

Y mi hija las oyó.

PONCIA

¡Claro!

---

[48] *se chupan los dedos:* «se refocilan».

BERNARDA

Ésa sale a sus tías; blancas y untosas que ponían ojos de carnero al piropo de cualquier barberillo [49]. ¡Cuánto hay que sufrir y luchar para hacer que las personas sean decentes y no tiren al monte demasiado! [50]

PONCIA

¡Es que tus hijas están ya en edad de merecer! [51]. Demasiada poca guerra te dan. Angustias ya debe tener mucho más de los treinta.

BERNARDA

Treinta y nueve justos.

PONCIA

Figúrate. Y no ha tenido nunca novio...

BERNARDA
(Furiosa.)

¡No, no ha tenido novio ninguna ni les hace falta! Pueden pasarse muy bien [52].

PONCIA

No he querido ofenderte.

---

[49] *ojos de carnero:* «ojos en blanco». // El *barberillo* es, en la tradición, un personaje dicharachero, alegre y mujeriego.

[50] Alusión al dicho «la cabra tira al monte»; se une, acaso, una alusión a la cabra como emblema de la lujuria. Bernarda defiende la teoría de la educación planteada como represión de los instintos y de lo natural.

[51] *en edad de merecer:* «en edad de buscar marido».

[52] *pasarse muy bien:* «prescindir de él sin que pase nada».

BERNARDA

No hay en cien leguas a la redonda quien se pueda acercar a ellas. Los hombres de aquí no son de su clase. ¿Es que quieres que las entregue a cualquier gañán?[53].

PONCIA

Debías haberte ido a otro pueblo.

BERNARDA

Eso ¡a venderlas!

PONCIA

No, Bernarda; a cambiar... ¡Claro que en otros sitios ellas resultan las pobres!

BERNARDA

¡Calla esa lengua atormentadora!

PONCIA

Contigo no se puede hablar. Tenemos o no tenemos confianza.

BERNARDA

No tenemos. Me sirves y te pago. ¡Nada más!

---

[53] *gañán:* «bracero, peón en el campo».

CRIADA 1.ª
(Entrando.)

Ahí está don Arturo, que viene a arreglar las particiones [54].

BERNARDA

Vamos. *(A la* CRIADA.) Tú empieza a blanquear el patio [55]. *(A* LA PONCIA.) Y tú ve guardando en el arca grande toda la ropa del muerto.

PONCIA

Algunas cosas las podríamos dar...

BERNARDA

Nada. ¡Ni un botón! ¡Ni el pañuelo con que le hemos tapado la cara! *(Sale lentamente apoyada en el bastón y al salir, vuelve la cabeza y mira a sus* CRIADAS. *Las* CRIADAS *salen después.)*

(Entran AMELIA *y* MARTIRIO.)

AMELIA

¿Has tomado la medicina?

MARTIRIO

¡Para lo que me va a servir!

---

[54] *las particiones:* «el reparto de la herencia». Recuérdese que, frente a Angustias, heredera única, los cortos bienes de Antonio María Benavides se reparten entre Bernarda y las otras cuatro hijas.

[55] *blanquear el patio:* «dar una mano de cal disuelta en agua». Se hacía sistemáticamente como forma de limpiar las paredes.

AMELIA

Pero la has tomado.

MARTIRIO

Ya hago las cosas sin fe pero como un reloj.

AMELIA

Desde que vino el médico nuevo [56] estás más animada.

MARTIRIO

Yo me siento lo mismo.

AMELIA

¿Te fijaste? Adelaida no estuvo en el duelo.

MARTIRIO

Ya lo sabía. Su novio no la deja salir ni al tranco de la calle [57]. Antes era alegre. Ahora ni polvos se echa en la cara.

AMELIA

Ya no sabe una si es mejor tener novio o no.

---

[56] El *médico nuevo* era una posibilidad de matrimonio con alguien ajeno a la clase social y con distinta mentalidad; también una posibilidad de escapar del ambiente cerrado. Compárese: «CLORINDA: ¡Dios nos coja con salud! Un médico nuevo es una pistolilla montada. [...] CLORINDA: Pero, ¿es que te ibas a casar con él? AURELIA: No. Pero estoy deseando que me hable un hombre de carrera y que lleve botines. CLORINDA: Yo creí que te gustaba Antonio. [...] AURELIA: No sé. Pero un labrador. Yo rabio por ponerme sombrero y que me lleven al teatro. Me encanta el teatro» *(Los sueños de mi prima Aurelia* [IV, 417-418]).

[57] *tranco de la calle:* «umbral del portal de entrada a la casa».

MARTIRIO

Es lo mismo.

AMELIA

De todo tiene la culpa esta crítica que no nos deja vivir. Adelaida habrá pasado mal rato.

MARTIRIO

Le tienen miedo a nuestra madre. Es la única que conoce la historia de su padre y el origen de sus tierras. Siempre que viene le tira puñaladas con el asunto. Su padre mató en Cuba al marido de su primera mujer para casarse con ella, luego aquí la abandonó y se fue con otra que tenía una hija y luego tuvo relaciones con esta muchacha, la madre de Adelaida, y casó con ella después de haber muerto loca la segunda mujer.

AMELIA

¿Y ese infame por qué no está en la cárcel?

MARTIRIO

Porque los hombres se tapan unos a otros las cosas de esta índole y nadie es capaz de delatar.

AMELIA

Pero Adelaida no tiene culpa de esto.

MARTIRIO

No. Pero las cosas se repiten. Yo veo que todo es una terrible repetición. Y ella tiene el mismo sino de su madre y de su abuela, mujeres las dos del que la engendró.

AMELIA

¡Qué cosa más grande!

MARTIRIO

Es preferible no ver a un hombre nunca. Desde niña les tuve miedo. Los veía en el corral uncir los bueyes y levantar los costales de trigo entre voces y zapatazos y siempre tuve miedo de crecer por temor de encontrarme de pronto abrazada por ellos. Dios me ha hecho débil y fea y los ha apartado definitivamente de mí.

AMELIA

¡Eso no digas! Enrique Humanes estuvo detrás de ti y le gustabas.

MARTIRIO

¡Invenciones de la gente! Una noche estuve en camisa detrás de la ventana hasta que fue de día porque me avisó con la hija de su gañán que iba a venir y no vino. Fue todo cosa de lenguas[58]. Luego se casó con otra que tenía más que yo.

AMELIA

Y fea como un demonio.

MARTIRIO

¡Qué les importa a ellos la fealdad! A ellos les importa la tierra, las yuntas y una perra sumisa que les dé de comer.

---

[58]   *cosa de lenguas:* «habladurías, rumores malintencionados».

AMELIA

¡Ay! *(Entra* MAGDALENA.*)*

MAGDALENA

¿Qué hacéis?

MARTIRIO

Aquí.

AMELIA

¿Y tú?

MAGDALENA

Vengo de correr las cámaras [59]. Por andar un poco. De ver los cuadros bordados en cañamazo de nuestra abuela, el perrito de lanas y el negro luchando con el león que tanto nos gustaba de niñas. Aquélla era una época más alegre. Una boda duraba diez días y no se usaban las malas lenguas. Hoy hay más finura, las novias se ponen velo blanco como en las poblaciones [60] y se bebe vino de botella [61], pero nos pudrimos por el qué dirán.

---

[59] *correr las cámaras:* «recorrer los desvanes», que estaban en el piso alto de las casas.

[60] *poblaciones:* «ciudades importantes». La costumbre de vestir de blanco las novias comienza por las ciudades y sólo se generaliza avanzado el siglo; compárese: «Aparece la NOVIA. Lleva un traje negro mil novecientos, con caderas y larga cola rodeada de gasas plisadas y encajes duros. Sobre el peinado de visera lleva la corona de azahar» *(Bodas de sangre* [III, 359]).

[61] *vino de botella:* «vino de calidad, embotellado», frente al vino en jarras sacado directamente de la barrica o del zaque, que es como se tomaba en las casas de pueblo.

MARTIRIO

¡Sabe Dios lo que entonces pasaría!

AMELIA
(*A* MAGDALENA.)

Llevas desabrochados los cordones de un zapato.

MAGDALENA

¡Qué más da!

AMELIA

Te los vas a pisar y te vas a caer.

MAGDALENA

¡Una menos!

MARTIRIO

¿Y Adela?

MAGDALENA

¡Ah! Se ha puesto el traje verde [62] que se hizo para estrenar el día de su cumpleaños, se ha ido al corral, y ha comenzado a voces: «¡Gallinas, gallinas, miradme!». ¡Me he tenido que reír!

AMELIA

¡Si la hubiera visto madre!

---

[62] El *verde* es en Lorca un color cargado de simbolismos, casi siempre ligado al erotismo y a la muerte. Véase Aguirre [1973: 26-30].

MAGDALENA

¡Pobrecilla! Es la más joven de nosotras y tiene ilusión. ¡Daría algo por verla feliz!

(Pausa. ANGUSTIAS *cruza la escena con unas toallas en la mano.)*

ANGUSTIAS

¿Qué hora es?

MARTIRIO

Ya deben ser las doce.

ANGUSTIAS

¿Tanto?

AMELIA

Estarán al caer.

(Sale ANGUSTIAS.*)*

MAGDALENA
(Con intención.)

¿Sabéis ya la cosa...? *(Señalando a* ANGUSTIAS.*)*

AMELIA

No.

MAGDALENA

¡Vamos!

MARTIRIO

¡No sé a qué cosa te refieres...!

MAGDALENA

¡Mejor que yo lo sabéis las dos, siempre cabeza con cabeza como dos ovejitas, pero sin desahogaros con nadie!
¡Lo de Pepe el Romano!

MARTIRIO

¡Ah!

MAGDALENA
(Remedándola.)

¡Ah! Ya se comenta por el pueblo. Pepe el Romano viene
a casarse con Angustias. Anoche estuvo rondando la casa y
creo que pronto va a mandar un emisario.

MARTIRIO

¡Yo me alegro! Es buen hombre.

AMELIA

Yo también. Angustias tiene buenas condiciones.

MAGDALENA

Ninguna de las dos os alegráis.

MARTIRIO

¡Magdalena! ¡Mujer!

MAGDALENA

Si viniera por el tipo de Angustias, por Angustias como mujer, yo me alegraría; pero viene por el dinero. Aunque Angustias es nuestra hermana, aquí estamos en familia y reconocemos que está vieja, enfermiza y que siempre ha sido la que ha tenido menos mérito de todas nosotras. Porque si con veinte años parecía un palo vestido, ¡qué será ahora que tiene cuarenta!

MARTIRIO

No hables así. La suerte viene a quien menos la aguarda.

AMELIA

¡Después de todo dice la verdad! ¡Angustias tiene el dinero de su padre, es la única rica de la casa y por eso ahora que nuestro padre ha muerto y ya se harán particiones vienen por ella!

MAGDALENA

Pepe el Romano tiene veinticinco años y es el mejor tipo de todos estos contornos; lo natural sería que te pretendiera a ti, Amelia, o nuestra Adela, que tiene veinte años, pero no que venga a buscar lo más oscuro de esta casa, a una mujer que, como su padre, habla con la nariz.

MARTIRIO

¡Puede que a él le guste!

MAGDALENA

¡Nunca he podido resistir tu hipocresía!

MARTIRIO

¡Dios nos valga!

(*Entra* ADELA.)

MAGDALENA

¿Te han visto ya las gallinas?

ADELA

¿Y qué querías que hiciera?

AMELIA

¡Si te ve nuestra madre te arrastra del pelo!

ADELA

Tenía mucha ilusión con el vestido. Pensaba ponérmelo el día que vamos a comer sandías a la noria [63]. No hubiera habido otro igual.

MARTIRIO

¡Es un vestido precioso!

ADELA

Y me está muy bien. Es lo que mejor ha cortado Magdalena.

---

[63] Seguramente se alude a alguna romería en algún soto más allá de los límites del pueblo de Bernarda (porque en él no hay ríos) en el que hay una noria que saca el agua para el caz de riego. Obsérvese que se refiere a un día y costumbre determinados: *el día que vamos a comer sandías*.

MAGDALENA

¿Y las gallinas qué te han dicho?

ADELA

Regalarme unas cuantas pulgas que me han acribillado las piernas. *(Ríen.)*

MARTIRIO

Lo que puedes hacer es teñirlo de negro.

MAGDALENA

¡Lo mejor que puede hacer es regalárselo a Angustias para su boda con Pepe el Romano!

ADELA
(Con emoción contenida.)

¡Pero Pepe el Romano...!

AMELIA

¿No lo has oído decir?

ADELA

No.

MAGDALENA

¡Pues ya lo sabes!

ADELA

¡Pero si no puede ser!

MAGDALENA

¡El dinero lo puede todo!

ADELA

¿Por eso ha salido detrás del duelo y estuvo mirando por el portón? *(Pausa.)* Y ese hombre es capaz de...

MAGDALENA

Es capaz de todo.

(Pausa.)

MARTIRIO

¿Qué piensas, Adela?

ADELA

Pienso que este luto me ha cogido en la peor época de mi vida para pasarlo.

MAGDALENA

Ya te acostumbrarás.

ADELA
(Rompiendo a llorar con ira.)

No, no me acostumbraré. Yo no quiero estar encerrada. ¡No quiero que se me pongan las carnes como a vosotras! ¡No quiero perder mi blancura en estas habitaciones! ¡Mañana me pondré mi vestido y me echaré a pasear por la calle! ¡Yo quiero salir!

(Entra la CRIADA 1.ª*)*

MAGDALENA
(Autoritaria.)

¡Adela!

CRIADA 1.ª

¡La pobre! ¡Cuánto ha sentido a su padre! *(Sale.)*

MARTIRIO

¡Calla!

AMELIA

Lo que sea de una será de todas.

(ADELA *se calma.*)

MAGDALENA

Ha estado a punto de oírte la criada.

CRIADA
(Apareciendo.)

Pepe el Romano viene por lo alto de la calle [64].

(AMELIA, MARTIRIO y MAGDALENA *corren presurosas.*)

---

[64]   *la calle:* La calle, subida y bajada, es movimiento de galanes. Compárese: «Suben por la calle / los cuatro galanes, / ay, ay, ay, ay. / Por la calle abajo / van los tres galanes, / ay, ay, ay» *(Gacela del amor con cien años* [II, 346]).

MAGDALENA

¡Vamos a verlo! *(Salen rápidas.)*

CRIADA
(A ADELA.*)*

¿Tú no vas?

ADELA

No me importa.

CRIADA

Como dará la vuelta a la esquina, desde la ventana de tu cuarto se verá mejor. *(Sale la* CRIADA.*)*

> (ADELA *queda en escena dudando; después de un instante se va también rápida hacia su habitación. Sale* BERNARDA *y* LA PONCIA.*)*

BERNARDA

¡Malditas particiones!

PONCIA

¡¡Cuánto dinero le queda a Angustias!!

BERNARDA

Sí.

PONCIA

Y a las otras bastante menos.

BERNARDA

Ya me lo has dicho tres veces y no te he querido replicar. Bastante menos, mucho menos. No me lo recuerdes más.

(Sale ANGUSTIAS *muy compuesta de cara.)*

BERNARDA

¡Angustias!

ANGUSTIAS

Madre.

BERNARDA

¿Pero has tenido valor de echarte polvos en la cara? ¿Has tenido valor de lavarte la cara el día de la muerte de tu padre?[65].

ANGUSTIAS

No era mi padre. El mío murió hace tiempo. ¿Es que ya no lo recuerda usted?

BERNARDA

¡Más debes a este hombre, padre de tus hermanas, que al tuyo! Gracias a este hombre tienes colmada tu fortuna.

ANGUSTIAS

¡Eso lo teníamos que ver!

---

[65] Lapsus de Lorca en el manuscrito. Es el día de los funerales, no el de la muerte. Es posible que el error consista en *muerte* por *misa*. Pero *muerte* tiene mayor valor expresivo.

BERNARDA

¡Aunque fuera por decencia! Por respeto.

ANGUSTIAS

Madre, déjeme usted salir.

BERNARDA

¿Salir? Después de que te hayas quitado esos polvos de la cara: ¡suavona! ¡yeyo! [66] ¡espejo de tus tías! *(Le quita violentamente con su pañuelo los polvos.)* ¡Ahora vete!

PONCIA

¡Bernarda, no seas tan inquisitiva!

BERNARDA

Aunque mi madre esté loca, yo estoy con mis cinco sentidos y sé perfectamente lo que hago.

(Entran todas.)

MAGDALENA

¿Qué pasa?

BERNARDA

No pasa nada.

---

[66]   *¡yeyo!:* «mujer pintarrajeada». Según parece, la palabra pertenece en exclusiva al idiolecto de la familia Lorca, como el *cuca silvana* que el poeta hace decir al marido en *La zapatera prodigiosa*.

MAGDALENA
(A ANGUSTIAS.*)*

Si es que discutís por las particiones, tú que eres la más rica te puedes quedar con todo.

ANGUSTIAS

¡Guárdate la lengua en la madriguera![67].

BERNARDA
(Golpeando con el bastón en el suelo.)

¡No os hagáis ilusiones de que vais a poder conmigo! ¡Hasta que salga de esta casa con los pies adelante[68] mandaré en lo mío y en lo vuestro!

(Se oyen unas voces y entra en escena MA-RÍA JOSEFA, *la madre de* BERNARDA, *viejísima, ataviada con flores en la cabeza y en el pecho.)*

MARÍA JOSEFA

Bernarda, ¿dónde está mi mantilla? Nada de lo que tengo quiero que sea para vosotras: ni mis anillos ni mi traje negro de moaré[69]. Porque ninguna de vosotras se va a casar. ¡Ninguna! Bernarda: ¡dame mi gargantilla de perlas!

---

[67]   *¡guárdate la lengua en la madriguera!:* «¡cállate!». La frase de Angustias es una grosería moderada por el eufemismo.
[68]   *con los pies adelante:* «con los pies por delante, muerta en el ataúd».
[69]   *moaré:* «tela lujosa que hace aguas». María Josefa se está vistiendo de novia: véase nota 60.

BERNARDA
(A la CRIADA.*)*

¿Por qué la habéis dejado entrar?

CRIADA
(Temblando.)

¡Se me escapó!

MARÍA JOSEFA

Me escapé porque me quiero casar, porque quiero casarme con un varón hermoso de la orilla del mar [70], ya que aquí los hombres huyen de las mujeres.

BERNARDA

¡Calle usted, madre!

MARÍA JOSEFA

No, no callo. No quiero ver a estas mujeres solteras rabiando por la boda, haciéndose polvo el corazón, y yo me quiero ir a mi pueblo. ¡Bernarda, yo quiero un varón para casarme y tener alegría!

BERNARDA

¡Encerradla!

---

[70] La orilla del mar es, desde las cantigas o el romancero, terreno apropiado para encuentros maravillosos, especialmente amorosos. Recuérdese, sin más, los romances del Infante Arnaldos, del Conde Niño, o el catalán de «A la voreta del mar». O la copla popular «A la mar fui por naranjas», variada por Lorca en *Adelina de paseo* [I, 523] y su poema «Mi niña se fue a la mar» [I, 524]. Lorca interpreta y desarrolla detalladamente el símbolo al comienzo del acto tercero de *Así que pasen cinco años*.

MARÍA JOSEFA

¡Déjame salir, Bernarda!

(*La* CRIADA *coge a* MARÍA JOSEFA.)

BERNARDA

¡Ayudarla vosotras! (*Todas arrastran a la vieja.*)

MARÍA JOSEFA

¡Quiero irme de aquí, Bernarda! A casarme a la orilla del mar, a la orilla del mar.

TELÓN RÁPIDO

ACTO SEGUNDO

(Habitación blanca del interior de la casa de BER-
NARDA. *Las puertas de la izquierda dan a los dormitorios.*
Las hijas de BERNARDA *están sentadas en sillas bajas co-*
siendo. MAGDALENA *borda. Con ellas está* LA PONCIA.*)* [71]

ANGUSTIAS

Ya he cortado la tercera sábana.

MARTIRIO

Le corresponde a Amelia.

MAGDALENA

Angustias: ¿pongo también las iniciales de Pepe? [72].

---

[71]   La acción, en el laberinto que supone la casa, se adentra en el espacio escénico referido. Las hijas se han sometido a la madre; la sumisión
se patentiza en la aceptación de las labores de cosido y bordado del ajuar
que se habían sugerido en el primer acto. Sólo ADELA, iniciando su rebeldía, se niega a la tarea.

[72]   A pesar de la igualdad de ambiente y de la presencia continua del
calor del verano, el paso del tiempo se recalca desde la acción: es «la tercer sábana» y «pongo *también*». Así se subraya el valor simbólico de
aquellos dos vectores de tiempo detenido y espacio invariable. // *Tercer
sábana,* con apócope corriente en la lengua popular.

ANGUSTIAS
(*Seca.*)

No.

MAGDALENA
(*A voces.*)

Adela, ¿no vienes?

AMELIA

Estará echada en la cama.

PONCIA

Ésa tiene algo. La encuentro sin sosiego, temblona, asustada, como si tuviera una lagartija entre los pechos[73].

MARTIRIO

No tiene ni más ni menos que lo que tenemos todas.

MAGDALENA

Todas menos Angustias.

ANGUSTIAS

Yo me encuentro bien, y al que le duela, que reviente.

MAGDALENA

Desde luego hay que reconocer que lo mejor que has tenido siempre ha sido el talle y la delicadeza.

---

[73] Por el desasosiego, comparable al movimiento ágil de las lagartijas. Pero también se ponía un lagartija sobre el pecho, en un canutillo, para curar una rija, que en este caso sería metafórica.

ANGUSTIAS

Afortunadamente pronto voy a salir de este infierno.

MAGDALENA

¡A lo mejor no sales!

MARTIRIO

¡Dejar esa conversación!

ANGUSTIAS

Y además, ¡más vale onza en el arca que ojos negros en la cara! [74].

MAGDALENA

Por un oído me entra y por otro me sale [75].

AMELIA
(A LA PONCIA.)

Abre la puerta del patio a ver si nos entra un poco el fresco.

(LA PONCIA *lo hace.)*

MARTIRIO

Esta noche pasada no me podía quedar dormida del calor.

---

[74]   *onza:* «moneda de oro que valía dieciséis pesos duros». El refrán es variante decimonónica del antiguo «Más vale prenda en el arca que fiador en la plaza», que ya recoge el Comendador Hernán Núñez.

[75]   «no hago caso a palabras tontas».

AMELIA

¡Yo tampoco!

MAGDALENA

Yo me levanté a refrescarme. Había un nublo [76] negro de tormenta y hasta cayeron algunas gotas.

PONCIA

Era la una de la madrugada y salía fuego de la tierra [77]. También me levanté yo. Todavía estaba Angustias con Pepe en la ventana.

MAGDALENA
(Con ironía.)

¿Tan tarde? ¿A qué hora se fue?

ANGUSTIAS

Magdalena, ¿a qué preguntas si lo viste?

AMELIA

Se iría a eso de la una y media.

ANGUSTIAS

Sí. ¿Tú por qué lo sabes?

---

[76]   *nublo:* «nubarrón».
[77]   *salía fuego de la tierra:* «no refrescaba, a pesar de la noche, porque la tierra conservaba el calor del día». Los detalles sobre el tiempo sirven como correlato objetivo del clima moral de los personajes.

AMELIA

Lo sentí toser y oí los pasos de su jaca.

PONCIA

¡Pero si yo lo sentí marchar a eso de las cuatro!

ANGUSTIAS

¡No sería él!

PONCIA

¡Estoy segura!

AMELIA

¡A mí también me pareció!

MAGDALENA

¡Qué cosa más rara!

(Pausa.)

PONCIA

Oye, Angustias. ¿Qué fue lo que te dijo la primera vez
que se acercó a tu ventana?

ANGUSTIAS

Nada, ¡qué me iba a decir! Cosas de conversación[78].

---

[78] *cosas de conversación:* «cosas propias de las relaciones entre enamorados».

MARTIRIO

Verdaderamente es raro que dos personas que no se conocen se vean de pronto en una reja y ya novios.

ANGUSTIAS

Pues a mí no me chocó.

AMELIA

A mí me daría no sé qué.

ANGUSTIAS

No, porque cuando un hombre se acerca a una reja ya sabe por los que van y vienen, llevan y traen, que se le va a decir que sí.

MARTIRIO

Bueno; pero él te lo tendría que decir.

ANGUSTIAS

¡Claro!

AMELIA
(*Curiosa.*)

¿Y cómo te lo dijo?

ANGUSTIAS

Pues nada: «Ya sabes que ando detrás de ti, necesito una mujer buena, modosa, ¡y ésa eres tú si me das la conformidad!».

AMELIA

¡A mí me da vergüenza de estas cosas!

ANGUSTIAS

¡Y a mí, pero hay que pasarlas!

PONCIA

¿Y habló más?

ANGUSTIAS

Sí; siempre habló él.

MARTIRIO

¿Y tú?

ANGUSTIAS

Yo no hubiera podido. Casi se me salía el corazón por la boca [79]. Era la primera vez que estaba sola de noche con un hombre.

MAGDALENA

Y un hombre tan guapo.

ANGUSTIAS

¡No tiene mal tipo!

---

[79] Frase para expresar lo fuertemente que late el corazón por la emoción.

PONCIA

Esas cosas pasan entre personas ya un poco instruidas que hablan y dicen y mueven la mano... La primera vez que mi marido Evaristo el Colorín [80] vino a mi ventana... ja, ja, ja.

AMELIA

¿Qué pasó?

PONCIA

Era muy oscuro. Lo vi acercarse y al llegar me dijo: «Buenas noches». «Buenas noches», le dije yo, y nos quedamos callados más de media hora. Me corría el sudor por todo el cuerpo. Entonces Evaristo se acercó, se acercó que se quería meter por los hierros, y dijo con voz muy baja: «¡Ven que te tiente!». *(Ríen todas.)*

(AMELIA *se levanta corriendo y espía por una puerta.)*

AMELIA

¡Ay! ¡Creí que llegaba nuestra madre!

MAGDALENA

¡Buenas nos hubiera puesto! *(Siguen riendo.)*

AMELIA

Chissss... ¡Que nos va a oír!

---

[80] *Colorín:* «jilguero».

PONCIA

Luego se portó bien. En vez de darle por otra cosa le dio por criar colorines hasta que murió. A vosotras que sois solteras, os conviene saber de todos modos que el hombre a los quince días de boda deja la cama por la mesa y luego la mesa por la tabernilla, y la que no se conforma se pudre llorando en un rincón.

AMELIA

Tú te conformaste.

PONCIA

¡Yo pude con él!

MARTIRIO

¿Es verdad que le pegaste algunas veces?

PONCIA

Sí, y por poco lo dejo tuerto.

MAGDALENA

¡Así debían ser todas las mujeres!

PONCIA

Yo tengo la escuela de tu madre. Un día me dijo no sé qué cosa y le maté todos los colorines con la mano del almirez[81]. *(Ríen.)*

---

[81] *almirez:* «mortero de metal». La cruel venganza de la Poncia, que se declara de la escuela de Bernarda, no se limita a los pájaros; es un acto de brujería analógica que se ejerce apoyándose en el apodo del marido. Acaso se anuncie así la causa de la angustia y cólera que produce la desaparición del retrato de Pepe el Romano.

MAGDALENA

Adela, ¡niña! No te pierdas esto.

AMELIA

Adela.

(Pausa.)

MAGDALENA

¡Voy a ver! *(Entra.)*

PONCIA

¡Esa niña está mala!

MARTIRIO

Claro, ¡no duerme apenas!

PONCIA

¿Pues qué hace?

MARTIRIO

¡Yo qué sé lo que hace!

PONCIA

Mejor lo sabrás tú que yo, que duermes pared por medio.

ANGUSTIAS

La envidia la come.

AMELIA

No exageres.

ANGUSTIAS

Se lo noto en los ojos. Se le está poniendo mirar de loca.

MARTIRIO

No habléis de locos. Aquí es el único sitio donde no se puede pronunciar esta palabra.

(Sale MAGDALENA *con* ADELA.)

MAGDALENA

Pues ¿no estaba dormida?

ADELA

Tengo mal cuerpo[82].

MARTIRIO
(Con intención.)

¿Es que no has dormido bien esta noche?

ADELA

Sí.

MARTIRIO

¿Entonces?

---

[82] *Tengo mal cuerpo:* «no me encuentro bien». Pero anuncia la exclamación siguiente: *¡Yo con mi cuerpo hago lo que me parece!*, con lo cual parece teñirse de valor moral.

ADELA
(Fuerte.)

¡Déjame ya! ¡Durmiendo o velando no tienes por qué meterte en lo mío! ¡Yo hago con mi cuerpo lo que me parece!

MARTIRIO

¡Sólo es interés por ti!

ADELA

Interés o inquisición. ¿No estabais cosiendo? ¡Pues seguir! ¡Quisiera ser invisible, pasar por las habitaciones sin que me preguntarais dónde voy!

CRIADA
(Entra.)

Bernarda os llama. Está el hombre de los encajes[83]. *(Salen.)*

(Al salir, MARTIRIO *mira fijamente a* ADELA.*)*

ADELA

¡No me mires más! Si quieres te daré mis ojos, que son frescos, y mis espaldas para que te compongas la joroba que tienes, pero vuelve la cabeza cuando yo pase.

PONCIA

Adela, ¡que es tu hermana y además la que más te quiere!

---

[83]   El oficio del vendedor puede servir para evocar el oficio secundario de la Celestina, ayudando así, por intertextualidad, a crear el clima dramático.

ADELA

Me sigue a todos lados. A veces se asoma a mi cuarto para ver si duermo. No me deja respirar. Y siempre: «¡Qué lástima de cara! ¡qué lástima de cuerpo que no va a ser para nadie!». ¡Y eso no! ¡Mi cuerpo será de quien yo quiera!

PONCIA
(Con intención y en voz baja.)

De Pepe el Romano, ¿no es eso?

ADELA
(Sobrecogida.)

¿Qué dices?

PONCIA

¡Lo que digo, Adela!

ADELA

¡Calla!

PONCIA
(Alto.)

¿Crees que no me he fijado?

ADELA

¡Baja la voz!

PONCIA

¡Mata esos pensamientos!

ADELA

¿Qué sabes tú?

PONCIA

Las viejas vemos a través de las paredes. ¿Dónde vas de noche cuando te levantas?

ADELA

¡Ciega debías estar!

PONCIA

Con la cabeza y las manos llenas de ojos cuando se trata de lo que se trata. Por mucho que pienso no sé lo que te propones. ¿Por qué te pusiste casi desnuda, con la luz encendida y la ventana abierta al pasar Pepe el segundo día que vino a hablar con tu hermana?

ADELA

¡Eso no es verdad!

PONCIA

¡No seas como los niños chicos [84]! Deja en paz a tu hermana, y si Pepe el Romano te gusta, te aguantas. (ADELA *llora.*) Además, ¿quién dice que no te puedes casar con él? Tu hermana Angustias es una enferma. Ésa no resiste el primer parto. Es estrecha de cintura, vieja, y con mi conocimiento te digo que se morirá. Entonces Pepe hará lo que hacen todos los viudos de esta tierra: se casará con la más

---

[84] *niños chicos:* «niños pequeños».

joven, la más hermosa, y ésa eres tú. Alimenta esa esperanza, olvídalo, lo que quieras, pero no vayas contra la ley de Dios.

ADELA

¡Calla!

PONCIA

¡No callo!

ADELA

Métete en tus cosas, ¡oledora! [85] ¡pérfida!

PONCIA

¡Sombra tuya he de ser!

ADELA

En vez de limpiar la casa y acostarte para rezar a tus muertos, buscas como una vieja marrana asuntos de hombres y mujeres para babosear en ellos [86].

PONCIA

¡Velo!, para que las gentes no escupan al pasar por esta puerta.

ADELA

¡Qué cariño tan grande te ha entrado de pronto por mi hermana!

_____

[85]   *¡oledora!:* «cotilla, chismosa, alcahueta».

[86]   La definición que Adela hace de Poncia corresponde a la de Celestina, puta vieja o vieja *marrana*.

PONCIA

No os tengo ley a ninguna [87], pero quiero vivir en casa decente. ¡No quiero mancharme de vieja!

ADELA

Es inútil tu consejo. Ya es tarde. No por encima de ti, que eres una criada: por encima de mi madre saltaría para apagarme este fuego que tengo levantado por piernas y boca [88]. ¿Qué puedes decir de mí? ¿Que me encierro en mi cuarto y no abro la puerta? ¿Que no duermo? ¡Soy más lista que tú! Mira a ver si puedes agarrar la liebre con tus manos [89].

PONCIA

No me desafíes. ¡Adela, no me desafíes! Porque yo puedo dar voces, encender luces y hacer que toquen las campanas.

ADELA

Trae cuatro mil bengalas amarillas y ponlas en las bardas del corral [90]. Nadie podrá evitar que suceda lo que tiene que suceder.

PONCIA

¡Tanto te gusta ese hombre!

---

[87]   *No os tengo ley a ninguna:* «no os tengo afecto a ninguna».
[88]   Adela plantea, en pocas palabras, la definición del «amor loco» que tanto aprecian los surrealistas. Su situación se irá desarrollando en los parlamentos siguientes.
[89]   *liebre:* por la agilidad con que huye, pero también símbolo de inclinaciones pecaminosas. En los proverbios atribuidos a Santillana se explica «juras de tahúr son pasos de liebre» porque «corre como liebre tras los apetitos malos».
[90]   *bardas del corral:* «la parte superior de las tapias».

ADELA

¡Tanto! Mirando sus ojos me parece que bebo su sangre lentamente.

PONCIA

Yo no te puedo oír.

ADELA

¡Pues me oirás! Te he tenido miedo. ¡Pero ya soy más fuerte que tú!

(Entra ANGUSTIAS.*)*

ANGUSTIAS

¡Siempre discutiendo!

PONCIA

Claro. Se empeña que con el calor que hace vaya a traerle no sé qué cosa de la tienda.

ANGUSTIAS

¿Me compraste el bote de esencia?

PONCIA

El más caro. Y los polvos. En la mesa de tu cuarto los he puesto.

(Sale ANGUSTIAS.*)*

ADELA

¡Y chitón!

PONCIA

¡Lo veremos!

(Entran MARTIRIO, AMELIA *y* MAGDALENA.)

MAGDALENA
(A ADELA.)

¿Has visto los encajes?

AMELIA

Los de Angustias para sus sábanas de novia son preciosos.

ADELA
(A MARTIRIO, *que trae unos encajes.)*

¿Y éstos?

MARTIRIO

Son para mí. Para una camisa.

ADELA
(Con sarcasmo.)

¡Se necesita buen humor!

MARTIRIO
(Con intención.)

Para verlos yo. No necesito lucirme ante nadie.

PONCIA

Nadie la ve a una en camisa.

MARTIRIO
(Con intención y mirando a ADELA.*)*

¡A veces! Pero me encanta la ropa interior. Si fuera rica la tendría de holanda [91]. Es uno de los pocos gustos que me quedan.

PONCIA

Estos encajes son preciosos para las gorras de niño, para manteruelos de cristianar [92]. Yo nunca pude usarlos en los míos. A ver si ahora Angustias los usa en los suyos. Como le dé por tener crías, vais a estar cosiendo mañana y tarde.

MAGDALENA

Yo no pienso dar una puntada.

AMELIA

Y mucho menos cuidar niños ajenos. Mira tú cómo están las vecinas del callejón, sacrificadas por cuatro monigotes.

---

[91]   *holanda:* «lienzo muy fino de lino». Las camisas de holanda gozaban desde antiguo de especial prestigio. Compárese: «Vio lo que en ella había, que eran cuatro camisas de delgada holanda y otras cosas de lienzo no menos curiosas que limpias, y en un pañizuelo halló un buen montoncillo de escudos de oro» *(Quijote,* I, 23).

[92]   *manteruelos de cristianar:* «las ropas con que se lleva al niño a bautizar».

PONCIA

Ésas están mejor que vosotras. ¡Siquiera allí se ríe y se oyen porrazos!

MARTIRIO

Pues vete a servir con ellas.

PONCIA

No. ¡Ya me ha tocado en suerte este convento![93].

(Se oyen unos campanillos lejanos como a través de varios muros.)[94]

MAGDALENA

Son los hombres que vuelven al trabajo.

PONCIA

Hace un minuto dieron las tres[95].

MARTIRIO

¡Con este sol!

---

[93]   Posible recuerdo de *Hamlet:* «[Hamlet a Ofelia] ¡Vete a un convento! ¿Por qué habías de ser madre de pecadores?».

[94]   *campanillos:* «cencerros de cobre para las mulas». La acotación quiere subrayar el aislamiento con respecto al espacio exterior referido.

[95]   En el campo, la hora de reincorporarse al trabajo, después del descanso de la siesta, de mediodía a tres de la tarde.

ADELA

(Sentándose.)

¡Ay, quién pudiera salir también a los campos!

MAGDALENA
(Sentándose.)

¡Cada clase tiene que hacer lo suyo!

MARTIRIO
(Sentándose.)

¡Ay!

AMELIA
(Sentándose.)

¡Ay!

PONCIA

No hay alegría como la de los campos en esta época. Ayer de mañana llegaron los segadores. Cuarenta o cincuenta buenos mozos.

MAGDALENA

¿De dónde son este año?

PONCIA

De muy lejos. Vinieron de los montes. ¡Alegres! ¡Como árboles quemados! ¡Dando voces y arrojando piedras! Anoche llegó al pueblo una mujer vestida de lentejuelas y que bailaba con un acordeón, y quince de ellos la contrataron para llevársela al olivar. Yo los vi de lejos. El que la contrataba era un muchacho de ojos verdes, apretado como una gavilla de trigo [96].

AMELIA

¿Es eso cierto?

ADELA

¡Pero es posible!

PONCIA

Hace años vino otra de éstas y yo misma di dinero a mi hijo mayor para que fuera. Los hombres necesitan esas cosas.

ADELA

Se les perdona todo.

AMELIA

Nacer mujer es el mayor castigo.

MAGDALENA

Y ni nuestros ojos siquiera nos pertenecen.

(Se oye un canto lejano que se va acercando.)

---

[96] *apretado:* además de «de carnes duras», puede significar «atezado, moreno, que tira a color prieto». Para el valor erótico, compárese: «¡Qué clavel enajenado / en los montones de trigo!» [II, 347], clara reminiscencia del *Cantar de los Cantares*.

PONCIA

Son ellos. Traen unos cantos preciosos.

AMELIA

Ahora salen a segar.

CORO

Ya salen los segadores
en busca de las espigas.
Se llevan los corazones
de las muchachas que miran.

(Se oyen panderos y carrañacas[97]*. Pausa. Todas oyen en un silencio traspasado por el sol.)*

AMELIA

¡Y no les importa el calor!

MARTIRIO

Siegan entre llamaradas.

ADELA

Me gustaría poder segar para ir y venir. Así se olvida lo que nos muerde[98].

---

[97] *carrañacas:* «caña o lámina de madera o metal, con varias muescas, que suena al rozarla con un palito». La canción fuera de escena, reflejo de la situación de los personajes oyentes, que Lorca ya había empleado en *Mariana Pineda,* enlaza con una tradición clásica, cuyo exponente más claro acaso sea *El caballero de Olmedo,* de Lope de Vega.

[98] *lo que nos muerde:* «lo que nos atormenta, lo que nos corroe la conciencia».

MARTIRIO

¿Qué tienes tú que olvidar?

ADELA

Cada una sabe sus cosas.

MARTIRIO
(Profunda.)

¡Cada una!

PONCIA

¡Callar! ¡Callar!

CORO
(Muy lejano.)

Abrir puertas y ventanas
las que vivís en el pueblo;
el segador pide rosas
para adornar su sombrero.

PONCIA

¡Qué canto!

MARTIRIO
(Con nostalgia.)

Abrir puertas y ventanas
las que vivís en el pueblo...

ADELA
(Con pasión.)

... El segador pide rosas
para adornar su sombrero.

(Se va alejando el cantar.)

PONCIA

Ahora dan la vuelta a la esquina.

ADELA

Vamos a verlos por la ventana de mi cuarto.

PONCIA

Tened cuidado con no entreabrirla mucho, porque son capaces de dar un empujón para ver quién mira.

(Se van las tres. MARTIRIO *queda sentada en la silla baja con la cabeza entre las manos.)*

AMELIA
(Acercándose.)

¿Qué te pasa?

MARTIRIO

Me sienta mal el calor.

AMELIA

¿No es más que eso?

MARTIRIO

Estoy deseando que llegue noviembre, los días de lluvia, la escarcha, todo lo que no sea este verano interminable.

AMELIA

Ya pasará y volverá otra vez.

MARTIRIO

¡Claro! *(Pausa.)* ¿A qué hora te dormiste anoche?

AMELIA

No sé. Yo duermo como un tronco. ¿Por qué?

MARTIRIO

Por nada, pero me pareció oír gente en el corral.

AMELIA

¿Sí?

MARTIRIO

Muy tarde.

AMELIA

¿Y no tuviste miedo?

MARTIRIO

No. Ya lo he oído otras noches.

AMELIA

Debíamos tener cuidado. ¿No serían los gañanes?

MARTIRIO

Los gañanes llegan a las seis.

AMELIA

Quizá una mulilla sin desbravar.

MARTIRIO
(*Entre dientes y llena de segunda intención.*)

Eso, ¡eso!, una mulilla sin desbravar.

AMELIA

¡Hay que prevenir!

MARTIRIO

¡No, no! No digas nada, puede ser un volunto mío [99].

AMELIA

Quizá. (*Pausa.* AMELIA *inicia el mutis.*)

MARTIRIO

¡Amelia!

---

[99]   *un volunto mío:* «una imaginación mía». Compárese: «¡Un volunto! ¡Lo que llamamos los poetas la inspiración!» (González Anaya, *Los naranjos de la Mezquita,* ápud Alcalá Venceslada, *Vocabulario andaluz*). Obsérvese la función de lo no dicho en el diálogo entre Martirio y Amelia.

AMELIA
(En la puerta.)

¿Qué?

(Pausa.)

MARTIRIO

Nada.

(Pausa.)

AMELIA

¿Por qué me llamaste?

(Pausa.)

MARTIRIO

Se me escapó. Fue sin darme cuenta.

(Pausa.)

AMELIA

Acuéstate un poco.

ANGUSTIAS
(Entrando furiosa en escena, de modo que haya un gran contraste con los silencios anteriores.)

¿Dónde está el retrato de Pepe que tenía yo debajo de mi almohada?[100]. ¿Quién de vosotras lo tiene?

---

[100] La angustia e ira por la ausencia del retrato acaso se pueda justificar porque los conjuros sobre él son uno de los procedimientos más eficaces que se usan en la brujería para lograr una ligadura, tanto en el sentido de evitar el amor por otra persona como para propiciarlo.

MARTIRIO

Ninguna.

AMELIA

Ni que Pepe fuera un San Bartolomé de plata [101].

(Entran PONCIA, MAGDALENA *y* ADELA.*)*

ANGUSTIAS

¿Dónde está el retrato?

ADELA

¿Qué retrato?

ANGUSTIAS

Una de vosotras me lo ha escondido.

MAGDALENA

¿Tienes la desvergüenza de decir esto?

ANGUSTIAS

Estaba en mi cuarto y no está.

---

[101]   La referencia a San Bartolomé puede deberse tanto a su aspecto erótico, con los músculos marcados después de haber sido despellejado (García Posada), como a una tradición que combine su apostura y elegancia con el robo de su cuerpo por los sarracenos de su sepulcro en la isla de Lípari, según la *Leyenda Aurea* de Jacobo de la Vorágine, que fue lectura gustosa de Lorca. En *Doña Rosita* [IV, 223] el Ama involucra a San Bartolomé en un conjuro para evitar la mala suerte: «Por la rueda de San Bartolomé / y la varita de San José / y la santa rama de laurel, / enemigo, retírate / por las cuatro esquinas de Jerusalén».

MARTIRIO

¿Y no se habrá escapado a medianoche al corral? A Pepe le gusta andar con la luna.

ANGUSTIAS

¡No me gastes bromas! Cuando venga se lo contaré.

PONCIA

¡Eso no! ¡Porque aparecerá! *(Mirando a* ADELA.)

ANGUSTIAS

¡Me gustaría saber cuál de vosotras lo tiene!

ADELA
(Mirando a MARTIRIO.)

¡Alguna! ¡Todas menos yo!

MARTIRIO
(Con intención.)

¡Desde luego!

BERNARDA
(Entrando con su bastón.)

¡Qué escándalo es éste en mi casa y con el silencio del peso del calor! Estarán las vecinas con el oído pegado a los tabiques.

ANGUSTIAS

Me han quitado el retrato de mi novio.

BERNARDA
(Fiera.)

¿Quién?, ¿quién?

ANGUSTIAS

¡Éstas!

BERNARDA

¿Cuál de vosotras? *(Silencio.)* ¡Contestarme! *(Silencio. A* PONCIA.) Registra los cuartos, mira por las camas. Esto tiene no ataros más cortas [102]. ¡Pero me vais a soñar! [103]. *(A* AN-GUSTIAS.) ¿Estás segura?

ANGUSTIAS

Sí.

BERNARDA

¿Lo has buscado bien?

ANGUSTIAS

Sí, madre.

> *(Todas están de pie en medio de un embara-zoso silencio.)*

---

[102] *no ataros más cortas:* «dejaros tan libres».
[103] *me vais a soñar:* «haré que os acordéis del mal que habéis he-cho!». Compárese: «Sayonas, judías. Os pondré navajillas barberas en los zapatos. Me vais a soñar» (*La zapatera prodigiosa*).

BERNARDA

Me hacéis al final de mi vida beber el veneno más amargo que una madre puede resistir. *(A* PONCIA.) ¿No lo encuentras?

(Sale PONCIA.)

PONCIA

Aquí está.

BERNARDA

¿Dónde lo has encontrado?

PONCIA

Estaba...

BERNARDA

Dilo sin temor.

PONCIA
(Extrañada.)

Entre las sábanas de la cama de Martirio.

BERNARDA
(A MARTIRIO.)

¿Es verdad?

MARTIRIO
¡Es verdad!

BERNARDA

(Avanzando y golpeándola con el bastón.)

¡Mala puñalada te den [104], mosca muerta! ¡Sembradura de vidrios! [105].

MARTIRIO
(Fiera.)

¡No me pegue usted, madre!

BERNARDA

¡Todo lo que quiera!

MARTIRIO

¡Si yo la dejo! ¿Lo oye? ¡Retírese usted!

PONCIA

¡No faltes a tu madre!

ANGUSTIAS
(Cogiendo a BERNARDA.)

¡Déjela!, ¡por favor!

---

[104]   *mala puñalada te den:* fórmula popular para desear lo peor; es casi una maldición.

[105]   *Mosca muerta:* «hipócrita». // *¡Sembradura de vidrios!:* «Alguien a quien no se puede tratar sin herirse». Compárese: «Para unos vivir es pisar cristales», Luis Cernuda, *Los placeres prohibidos*. Valle-Inclán convierte en realidad la frase para crear el clima de la escena undécima de *Luces de bohemia:* «MAX: También aquí se pisan cristales rotos».

BERNARDA

Ni lágrimas te quedan en esos ojos.

MARTIRIO

No voy a llorar para darle gusto.

BERNARDA

¿Por qué has cogido el retrato?

MARTIRIO

¿Es que yo no puedo gastar una broma a mi hermana?
¡Para qué otra cosa lo iba a querer!

ADELA
(Saltando llena de celos.)

No ha sido broma, que tú no has gustado jamás de jue-
gos. Ha sido otra cosa que te reventaba en el pecho por querer salir. Dilo ya claramente.

MARTIRIO

¡Calla y no me hagas hablar, que si hablo se van a juntar
las paredes unas con otras de vergüenza!

ADELA

¡La mala lengua no tiene fin para inventar!

BERNARDA

¡Adela!

MAGDALENA

Estáis locas.

AMELIA

Y nos apedreáis con malos pensamientos.

MARTIRIO

¡Otras hacen cosas más malas!

ADELA

Hasta que se pongan en cueros de una vez y se las lleve el río [106].

BERNARDA

¡Perversa!

ANGUSTIAS

Yo no tengo la culpa de que Pepe el Romano se haya fijado en mí.

ADELA

¡Por tus dineros!

ANGUSTIAS

¡Madre!

---

[106] Son abundantes en la obra lorquiana las escenas de jóvenes ahogados, con significaciones muy diversas. Compárese: «Imos silandeiros veiriña do ar, / antes que ise río o leve pr'o mar» [II, 372].

BERNARDA

¡Silencio!

MARTIRIO

Por tus marjales [107] y tus arboledas.

MAGDALENA

¡Eso es lo justo!

BERNARDA

¡Silencio digo! Yo veía la tormenta venir, pero no creía que estallara tan pronto. ¡Ay qué pedrisco de odio [108] habéis echado sobre mi corazón! Pero todavía no soy anciana y tengo cinco cadenas para vosotras y esta casa levantada por mi padre para que ni las hierbas se enteren de mi desolación. ¡Fuera de aquí! *(Salen.* BERNARDA *se sienta desolada.* LA PONCIA *está de pie arrimada a los muros.* BERNARDA *reacciona, da un golpe en el suelo y dice:)* ¡Tendré que sentarles la mano! [109]. Bernarda: ¡acuérdate que ésta es tu obligación!

PONCIA

¿Puedo hablar?

---

[107] *marjales:* «larras, praderas al borde del río», o bien «extensión de tierra de poco más de media hectárea», medida que se emplea en Granada. El contexto no permite inclinarse por ninguna de las dos acepciones. En ambos casos, sin embargo, se subraya el deseo del campesino por poseer tierras.

[108] *pedrisco de odio: pedrisco,* «granizada».

[109] *sentarles la mano:* «castigarlas», en sentido recto, golpeándolas.

BERNARDA

Habla. Siento que hayas oído. Nunca está bien una extraña en el centro de la familia.

PONCIA

Lo visto, visto está.

BERNARDA

Angustias tiene que casarse enseguida.

PONCIA

Claro; hay que retirarla de aquí.

BERNARDA

No a ella. ¡A él!

PONCIA

Claro, ¡a él hay que alejarlo de aquí! Piensas bien.

BERNARDA

No pienso. Hay cosas que no se pueden ni se deben pensar. Yo ordeno.

PONCIA

¿Y tú crees que él querrá marcharse?

BERNARDA
(Levantándose.)

¿Qué imagina tu cabeza?

PONCIA

Él, claro, ¡se casará con Angustias!

BERNARDA

Habla, te conozco demasiado para saber que ya me tienes preparada la cuchilla [110].

PONCIA

Nunca pensé que se llamara asesinato al aviso.

BERNARDA

¿Me tienes que prevenir algo?

PONCIA

Yo no acuso, Bernarda: yo sólo te digo: abre los ojos y
verás.

BERNARDA

¿Y verás qué?

PONCIA

Siempre has sido lista. Has visto lo malo de las gentes a
cien leguas; muchas veces creí que adivinabas los pensamientos. Pero los hijos son los hijos. Ahora estás ciega.

BERNARDA

¿Te refieres a Martirio?

---

[110]   Para degollarme. La metáfora acentúa el hecho de que se dirige
contra su sangre, su familia.

PONCIA

Bueno, a Martirio... *(Con curiosidad.)* ¿Por qué habrá escondido el retrato?

BERNARDA
(Queriendo ocultar a su hija.)

Después de todo, ella dice que ha sido una broma. ¿Qué otra cosa puede ser?

PONCIA
(Con sorna.)

¿Tú lo crees así?

BERNARDA
(Enérgica.)

No lo creo. ¡Es así!

PONCIA

Basta. Se trata de lo tuyo. Pero si fuera la vecina de enfrente, ¿qué sería?

BERNARDA

Ya empiezas a sacar la punta del cuchillo.

PONCIA
(Siempre con crueldad.)

No, Bernarda: aquí pasa una cosa muy grande. Yo no te quiero echar la culpa, pero tú no has dejado a tus hijas libres. Martirio es enamoradiza, digas tú lo que quieras. ¿Por

qué no la dejaste casar con Enrique Humanes? [111]. ¿Por qué
el mismo día que iba a venir a la ventana le mandaste re-
cado que no viniera?

BERNARDA
(Fuerte.)

¡Y lo haría mil veces! ¡Mi sangre no se junta con la de
los Humanes mientras yo viva! Su padre fue gañán.

PONCIA

¡Y así te va a ti con esos humos! [112].

BERNARDA

Los tengo porque puedo tenerlos. Y tú no los tienes porque sabes muy bien cuál es tu origen.

PONCIA
(Con odio.)

¡No me lo recuerdes! Estoy ya vieja. Siempre agradecí tu
protección.

BERNARDA
(Crecida.)

¡No lo parece!

---

[111]   Se retoma, ahora con la verdad conocida y ocultada, la historia
del fracaso amoroso de Martirio que en el acto I ésta había atribuido a
su debilidad y falta de belleza, pág. 112.

[112]   *con esos humos:* «con esa altivez, con esa soberbia».

PONCIA

(Con odio envuelto en suavidad.)

A Martirio se le olvidará esto.

BERNARDA

Y si no lo olvida peor para ella. No creo que ésta sea «la cosa muy grande» que aquí pasa. Aquí no pasa nada. ¡Eso quisieras tú! Y si pasara algún día, estate segura que no traspasaría las paredes.

PONCIA

¡Eso no lo sé yo! En el pueblo hay gentes que leen también de lejos los pensamientos escondidos.

BERNARDA

¡Cómo gozarías de vernos a mí y a mis hijas camino del lupanar [113]!

PONCIA

¡Nadie puede conocer su fin!

BERNARDA

¡Yo sí sé mi fin! ¡Y el de mis hijas! El lupanar se queda para alguna mujer ya difunta...

PONCIA

(Fiera.)

¡Bernarda, respeta la memoria de mi madre!

---

[113] *lupanar:* «burdel, casa de prostitución».

BERNARDA

¡No me persigas tú con tus malos pensamientos!

(Pausa.)

PONCIA

Mejor será que no me meta en nada.

BERNARDA

Eso es lo que debías hacer. Obrar y callar a todo es la obligación de los que viven a sueldo.

PONCIA

Pero no se puede. ¿A ti no te parece que Pepe estaría mejor casado con Martirio o... ¡sí!, o con Adela?

BERNARDA

No me parece.

PONCIA
(Con intención.)

Adela. ¡Ésa es la verdadera novia del Romano!

BERNARDA

Las cosas no son nunca a gusto nuestro.

PONCIA

Pero les cuesta mucho trabajo desviarse de la verdadera inclinación. A mí me parece mal que Pepe esté con Angustias, y a las gentes, y hasta al aire. ¡Quién sabe si se saldrán con la suya!

BERNARDA

¡Ya estamos otra vez!... Te deslizas para llenarme de malos sueños. Y no quiero entenderte, porque si llegara al alcance de todo lo que dices te tendría que arañar.

PONCIA

¡No llegará la sangre al río!

BERNARDA

¡Afortunadamente mis hijas me respetan y jamás torcieron mi voluntad!

PONCIA

¡Eso sí! Pero en cuanto las dejes sueltas se te subirán al tejado [114].

BERNARDA

¡Ya las bajaré tirándoles cantos!

PONCIA

¡Desde luego eres la más valiente!

---

[114] *se te subirán al tejado:* «se te escaparán», como las gatas en celo. Compárese: «Iba por el tejado, gata chata, / naricilla de hojadelata» *(Así que pasen cinco años* [V, 183]).

BERNARDA

¡Siempre gasté sabrosa pimienta! [115].

PONCIA

¡Pero lo que son las cosas! A su edad ¡hay que ver el entusiasmo de Angustias con su novio! ¡Y él también parece muy picado! Ayer me contó mi hijo mayor que a las cuatro y media de la madrugada que pasó por la calle con la yunta, estaban hablando todavía.

BERNARDA

¡A las cuatro y media!

ANGUSTIAS
(Saliendo.)

¡Mentira!

PONCIA

Eso me contaron.

BERNARDA
(A ANGUSTIAS.*)*

¡Habla!

ANGUSTIAS

Pepe lleva más de una semana marchándose a la una. Que Dios me mate si miento.

---

[115] «Siempre fui muy pronta en comprender y obrar».

MARTIRIO
(Saliendo.)

Yo también lo sentí marcharse a las cuatro.

BERNARDA

¿Pero lo viste con tus ojos?

MARTIRIO

No quise asomarme. ¿No habláis ahora por la ventana del callejón?

ANGUSTIAS

Yo hablo por la ventana de mi dormitorio.

(Aparece ADELA *en la puerta.)*

MARTIRIO

Entonces...

BERNARDA

¿Qué es lo que pasa aquí?

PONCIA

¡Cuida de enterarte! Pero, desde luego, Pepe estaba a las cuatro de la madrugada en una reja de tu casa.

BERNARDA

¿Lo sabes seguro?

PONCIA

Seguro no se sabe nada en esta vida.

ADELA

Madre, no oiga usted a quien nos quiere perder a todas.

BERNARDA

¡Ya sabré enterarme! Si las gentes del pueblo quieren levantar falsos testimonios, se encontrarán con mi pedernal[116]. No se hable de este asunto. Hay a veces una ola de fango que levantan los demás para perdernos.

MARTIRIO

A mí no me gusta mentir.

PONCIA

Y algo habrá.

BERNARDA

No habrá nada. Nací para tener los ojos abiertos. Ahora vigilaré sin cerrarlos ya hasta que me muera.

ANGUSTIAS

Yo tengo derecho a enterarme.

---

[116] Por su dureza y resistencia, pero también porque con sus chispas puede hacer arder todo. Compárese: «Fuego de siempre dormía en los pedernales» [II, 575].

BERNARDA

Tú no tienes derecho más que a obedecer. Nadie me traiga ni me lleve. *(A* LA PONCIA.*)* Y tú te metes en los asuntos de tu casa. ¡Aquí no se vuelve a dar un paso que yo no sienta!

CRIADA
(Entrando.)

¡En lo alto de la calle hay un gran gentío, y todos los vecinos están en sus puertas!

BERNARDA
(A PONCIA.*)*

¡Corre a enterarte de lo que pasa! *(Las* MUJERES *corren para salir.)* ¿Dónde vais? Siempre os supe mujeres ventaneras [117] y rompedoras de su luto. ¡Vosotras, al patio!

> *(Salen y sale* BERNARDA. *Se oyen rumores lejanos. Entran* MARTIRIO *y* ADELA *que se quedan escuchando y sin atreverse a dar un paso más de la puerta de salida.)*

MARTIRIO

Agradece a la casualidad que no desaté mi lengua.

ADELA

También hubiera hablado yo.

---

[117] Abundantes refranes dan cuenta del mal sentido de la expresión. Véanse, sin más, «Mujer ventanera, uvas en la carrera»; «Moza ventanera, o puta o pedera».

MARTIRIO

¿Y qué ibas a decir? ¡Querer no es hacer!

ADELA

Hace la que puede y la que se adelanta. Tú querías pero no has podido.

MARTIRIO

No seguirás mucho tiempo.

ADELA

¡Lo tendré todo!

MARTIRIO

Yo romperé tus abrazos.

ADELA
(Suplicante.)

¡Martirio, déjame!

MARTIRIO

¡De ninguna! [118].

ADELA

¡Él me quiere para su casa!

---

[118]   *¡De ninguna!:* elipsis: «¡No será de ninguna!».

MARTIRIO

¡He visto cómo te abrazaba!

ADELA

Yo no quería. He ido como arrastrada por una maroma.

MARTIRIO

¡Primero muerta!

(Se asoman MAGDALENA *y* ANGUSTIAS. *Se siente crecer el tumulto.)*

PONCIA
(Entrando con BERNARDA.)

¡Bernarda!

BERNARDA

¿Qué ocurre?

PONCIA

La hija de la Librada, la soltera, tuvo un hijo no se sabe con quién.

ADELA

¿Un hijo?

PONCIA

Y para ocultar su vergüenza lo mató y lo metió debajo de unas piedras, pero unos perros con más corazón que muchas criaturas, lo sacaron y como llevados por la mano de Dios [119] lo han puesto en el tranco de la puerta. Ahora la quieren matar. La traen arrastrando por la calle abajo, y por las trochas [120] y los terrenos del olivar vienen los hombres corriendo, dando unas voces que estremecen los campos.

BERNARDA

Sí, que vengan todos con varas de olivo y mangos de azadones, que vengan todos para matarla.

ADELA

¡No, no, para matarla no!

MARTIRIO

Sí, y vamos a salir también nosotras.

BERNARDA

Y que pague la que pisotea su decencia.

(Fuera se oye un grito de mujer y un gran rumor.)

ADELA

¡Que la dejen escapar! ¡No salgáis vosotras!

---

[119]   La Poncia se refiere a la mano justiciera de Dios, nunca a la misericordiosa y conservadora. La justicia que se pide y está aplicando el pueblo es la de la ley del Talión.

[120]   *trochas:* «senderos difíciles y quebrados». Compárese: «Dejar el real camino / por las trochas, es doctrina / que por ser tan peregrina / no la sigue peregrino» (Góngora). Un suceso muy parecido a éste apareció como noticia en *El defensor de Granada* del 25 de septiembre de 1923.

MARTIRIO
(*Mirando a* ADELA.)

¡Que pague lo que debe!

BERNARDA
(*Bajo el arco.*)

¡Acabar con ella antes que lleguen los guardias! ¡Carbón ardiendo en el sitio de su pecado! [121].

ADELA
(*Cogiéndose el vientre.*)

¡No! ¡No!

BERNARDA

¡Matadla! ¡Matadla!

TELÓN

---

[121] Esta aplicación excesiva de la ley del Talión puede provenir de la historia tradicional de doña María Coronel, que ya glosa Juan de Mena [*Laberinto de Fortuna,* 79] y que el Brocense anota: «Don Alonso Fernández Coronel [...] casó esta hija con don Juan de la Cerda [...], y estando el marido ausente vínole tan grande tentación de la carne que determinó de morir por guardar la lealtad matrimonial, y metióse un tizón ardiendo por su natura, de que vino a morir».

ACTO TERCERO

(Cuatro paredes blancas ligeramente azuladas del patio interior de la casa de BERNARDA. *Es de noche. El decorado ha de ser de una perfecta simplicidad. Las puertas iluminadas por la luz de los interiores dan un tenue fulgor a la escena.*

En el centro, una mesa con un quinqué, donde están comiendo BERNARDA *y sus hijas.* LA PONCIA *las sirve.* PRUDENCIA *está sentada aparte.*

Al levantarse el telón hay un gran silencio, interrumpido por el ruido de platos y cubiertos.) [122]

PRUDENCIA

Ya me voy. Os he hecho una visita larga. *(Se levanta.)*

BERNARDA

Espérate, mujer. No nos vemos nunca.

---

[122] El gran silencio, que prolonga y lleva al paroxismo los sucesivos silencios que van punteando la obra. Difícil de representar escénicamente, se hace notar más al empezar la escena *in medias res,* entre los parlamentos de una conversación que se va a continuar.

PRUDENCIA

¿Han dado el último toque para el rosario?

PONCIA

Todavía no. (PRUDENCIA *se sienta.*)

BERNARDA

¿Y tu marido cómo sigue?

PRUDENCIA

Igual.

BERNARDA

Tampoco lo vemos.

PRUDENCIA

Ya sabes sus costumbres. Desde que se peleó con sus hermanos por la herencia no ha salido por la puerta de la calle. Pone una escalera y salta las tapias del corral[123].

BERNARDA

Es un verdadero hombre. ¿Y con tu hija...?

PRUDENCIA

No la ha perdonado.

---

[123] La historia del marido de Prudencia no deja de ser una *mise en abîme* en clave cómica del drama que se presencia.

BERNARDA

Hace bien.

PRUDENCIA

No sé qué te diga. Yo sufro por esto.

BERNARDA

Una hija que desobedece deja de ser hija para convertirse en enemiga.

PRUDENCIA

Yo dejo que el agua corra [124]. No me queda más consuelo que refugiarme en la iglesia, pero como me estoy quedando sin vista tendré que dejar de venir para que no jueguen con una los chiquillos. *(Se oye un gran golpe como dado en los muros.)* ¿Qué es eso?

BERNARDA

El caballo garañón [125], que está encerrado y da coces contra el muro. *(A voces.)* ¡Trabadlo y que salga al corral! *(En voz baja.)* Debe tener calor.

PRUDENCIA

¿Vais a echarle las potras nuevas?

---

[124] *Yo dejo que el agua corra:* «que las cosas sigan su curso natural».
[125] *caballo garañón:* «caballo semental». El caballo es un símbolo polivalente, y uno de los más usados por García Lorca. Véase Martínez Nadal, 1970. En este caso subraya la presencia de la urgencia sexual y su represión.

BERNARDA

Al amanecer.

PRUDENCIA

Has sabido acrecentar tu ganado.

BERNARDA

A fuerza de dinero y sinsabores.

PONCIA
(Interviniendo.)

¡Pero tiene la mejor manada de estos contornos! Es una lástima que esté bajo de precio [126].

BERNARDA

¿Quieres un poco de queso y miel?

PRUDENCIA

Estoy desganada.

(Se oye otra vez el golpe.)

PONCIA

¡Por Dios!

PRUDENCIA

¡Me ha retemblado dentro del pecho!

---

[126] Las palabras de Poncia son ambiguas. Se pueden entender como aplicadas a los caballos o a la familia de Bernarda.

BERNARDA
(Levantándose furiosa.)

¿Hay que decir las cosas dos veces? ¡Echadlo que se revuelque en los montones de paja! *(Pausa, y como hablando con los gañanes.)* Pues encerrad las potras en la cuadra, pero dejadlo libre, no sea que nos eche abajo las paredes. *(Se dirige a la mesa y se sienta otra vez.)* ¡Ay qué vida!

PRUDENCIA

Bregando como un hombre.

BERNARDA

Así es. (ADELA *se levanta de la mesa.)* ¿Dónde vas?

ADELA

A beber agua.

BERNARDA
(En alta voz.)

Trae un jarro de agua fresca [127]. *(A* ADELA.) Puedes sentarte. (ADELA *se sienta.)*

PRUDENCIA

Y Angustias, ¿cuándo se casa?

BERNARDA

Vienen a pedirla dentro de tres días.

---

[127] La orden de Bernarda, aunque no se indica, ha de ir dirigida a la Poncia; sin embargo no se vuelve a hablar ya de este jarro.

PRUDENCIA

¡Estarás contenta!

ANGUSTIAS

¡Claro!

AMELIA
(A MAGDALENA.)

Ya has derramado la sal [128].

MAGDALENA

Peor suerte que tienes no vas a tener.

AMELIA

Siempre trae mala sombra.

BERNARDA

¡Vamos!

PRUDENCIA
(A ANGUSTIAS.)

¿Te ha regalado ya el anillo?

ANGUSTIAS

Mírelo usted. *(Se lo alarga.)*

---

[128] La sal derramada es uno de los agüeros de desgracia más extendidos.

PRUDENCIA

Es precioso. Tres perlas. En mi tiempo las perlas significaban lágrimas [129].

ANGUSTIAS

Pero ya las cosas han cambiado.

ADELA

Yo creo que no. Las cosas significan siempre lo mismo. Los anillos de pedida deben ser de diamantes.

PRUDENCIA

Es más propio.

BERNARDA

Con perlas o sin ellas, las cosas son como una se las propone.

MARTIRIO

O como Dios dispone [130].

PRUDENCIA

Los muebles me han dicho que son preciosos.

---

[129]   *perlas significaban lágrimas:* por analogía metafórica. Pero la perla, en la tradición, es el símbolo de la felicidad conyugal, por producirse de la conjunción del fuego-masculino y el agua-femenino.

[130]   El refrán es: «El hombre propone y Dios dispone».

BERNARDA

Dieciséis mil reales he gastado [131].

PONCIA
(Interviniendo.)

Lo mejor es el armario de luna.

PRUDENCIA

Nunca vi un mueble de éstos.

BERNARDA

Nosotras tuvimos arca.

PRUDENCIA

Lo preciso, es que todo sea para bien.

ADELA

Que nunca se sabe.

BERNARDA

No hay motivo para que no lo sea.

(Se oyen lejanísimas unas campanas.)

---

[31] *real:* «cuarta parte de una peseta». Hasta no hace mucho tiempo era normal contar las cantidades de dinero en reales y duros. En 1936 cuatro mil pesetas era un precio muy considerable para una economía modesta: corresponderían aproximadamente a unos dos millones y medio actuales.

PRUDENCIA

El último toque. *(A* ANGUSTIAS.*)* Ya vendré a que me enseñes la ropa.

ANGUSTIAS

Cuando usted quiera.

PRUDENCIA

Buenas noches nos dé Dios.

BERNARDA

Adiós, Prudencia.

LAS CINCO A LA VEZ

Vaya usted con Dios.

(Pausa. Sale PRUDENCIA.*)*

BERNARDA

Ya hemos comido. *(Se levantan.)*

ADELA

Voy a llegarme hasta el portón [132] para estirar las piernas y tomar un poco el fresco.

---

[132] *portón:* «puerta del zaguán que da paso a la casa»; no es la puerta de la calle.

(MAGDALENA *se sienta en una silla baja re-*
trepada contra la pared [133].)

AMELIA

Yo voy contigo.

MARTIRIO

Y yo.

ADELA
(Con odio contenido.)

No me voy a perder.

AMELIA

La noche quiere compaña [134]. *(Salen.)*

(BERNARDA *se sienta y* ANGUSTIAS *está arre-*
glando la mesa.)

BERNARDA

Ya te he dicho que quiero que hables con tu hermana
Martirio. Lo que pasó del retrato fue una broma y lo debes
olvidar.

ANGUSTIAS

Usted sabe que ella no me quiere.

---

[133]   *retrepada contra la pared:* «inclinada con el respaldo apoyado en
la pared».

[134]   *La noche quiere compaña:* «por la noche se necesita compañía».

BERNARDA

Cada uno sabe lo que piensa por dentro. Yo no me meto en los corazones, pero quiero buena fachada y armonía familiar. ¿Lo entiendes?

ANGUSTIAS

Sí.

BERNARDA

Pues ya está.

MAGDALENA
(Casi dormida.)

Además ¡si te vas a ir antes de nada! *(Se duerme.)*

ANGUSTIAS

¡Tarde me parece!

BERNARDA

¿A qué hora terminaste anoche de hablar?

ANGUSTIAS

A las doce y media.

BERNARDA

¿Qué cuenta Pepe?

Angustias

Yo lo encuentro distraído. Me habla siempre como pensando en otra cosa. Si le pregunto qué le pasa, me contesta: «Los hombres tenemos nuestras preocupaciones».

Bernarda

No le debes preguntar. Y cuando te cases, menos. Habla si él habla y míralo cuando te mire. Así no tendrás disgustos.

Angustias

Yo creo, madre, que él me oculta muchas cosas.

Bernarda

No procures descubrirlas, no le preguntes y, desde luego, que no te vea llorar jamás.

Angustias

Debía estar contenta y no lo estoy.

Bernarda

Eso es lo mismo.

Angustias

Muchas noches miro a Pepe con mucha fijeza y se me borra a través de los hierros, como si lo tapara una nube de polvo de las que levantan los rebaños.

BERNARDA

Eso son cosas de debilidad.

ANGUSTIAS

¡Ojalá!

BERNARDA

¿Viene esta noche?

ANGUSTIAS

No. Fue con su madre a la capital.

BERNARDA

Así nos acostaremos antes. ¡Magdalena!

ANGUSTIAS

Está dormida.

(Entran ADELA, MARTIRIO y AMELIA.*)*

AMELIA

¡Qué noche más oscura!

ADELA

No se ve a dos pasos de distancia.

MARTIRIO

Una buena noche para ladrones, para el que necesite escondrijo.

ADELA

El caballo garañón estaba en el centro del corral.
¡Blanco! Doble de grande. Llenando todo lo oscuro [135].

AMELIA

Es verdad. Daba miedo. ¡Parecía una aparición!

ADELA

Tiene el cielo unas estrellas como puños [136].

MARTIRIO

Ésta se puso a mirarlas de modo que se iba a tronchar el
cuello.

ADELA

¿Es que no te gustan a ti?

MARTIRIO

A mí las cosas de tejas arriba [137] no me importan nada.
Con lo que pasa dentro de las habitaciones tengo bastante.

ADELA

Así te va a ti.

---

[135]   El aumento de tamaño, el color y la posición del caballo destacan
su valor simbólico, mitificándolo. Veáse Martínez Nadal [1980: 68] y
compárese con: «Ayer no te vi, ¿sabes?, pero estuve viendo el caballo.
Era hermoso y blanco y los cascos dorados entre el heno de los pesebres,
pero tú eres más hermoso». *Así que pasen cinco años* [V, 199-200]. Ricardo Doménech [1985: 199] lo interpreta como augurio de muerte.
[136]   *como puños:* «muy grandes».
[137]   *cosas de tejas arriba:* «del cielo, que se escapan a mi alcance».

BERNARDA

A ella le va en lo suyo como a ti en lo tuyo.

ANGUSTIAS

Buenas noches.

ADELA

¿Ya te acuestas?

ANGUSTIAS

Sí; esta noche no viene Pepe. *(Sale.)*

ADELA

Madre: ¿por qué cuando se corre una estrella o luce un relámpago se dice:

> Santa Bárbara bendita,
> que en el cielo estás escrita
> con papel y agua bendita? [138].

---

[138] Copla popular para conjurar las tormentas y otros males que vienen del cielo. Las estrellas fugaces en Lorca son aviso de desgracias o de muerte; compárese, sin más, «Quise dar gracias al Señor por el bien que me concedía y al mirar hacia el cielo, todas las estrellas que se ven y que no se ven cayeron sobre mí y me taladraron con sus puñales de luz la carne y el alma» (*Cristo [Teatro inédito de juventud*: 260]); «JOSÉ: Una estrella roja se ha corrido de horizonte a horizonte, dejando en el cielo una llaga profunda de sangre hirviente. MARÍA: Todas las noches se corren estrellas. JOSÉ: Pero nunca una estrella ha partido el cielo en dos pedazos. Como los rayos parten los olivos. ¡Algo muy terrible presiente mi corazón!» (*Ibíd*: 266).

BERNARDA

Los antiguos sabían muchas cosas que hemos olvidado.

AMELIA

Yo cierro los ojos para no verlas.

ADELA

Yo, no. A mí me gusta ver correr lleno de lumbre lo que está quieto y quieto años enteros.

MARTIRIO

Pero estas cosas nada tienen que ver con nosotros.

BERNARDA

Y es mejor no pensar en ellas.

ADELA

¡Qué noche más hermosa! Me gustaría quedarme hasta muy tarde para disfrutar el fresco del campo.

BERNARDA

Pero hay que acostarse. ¡Magdalena!

AMELIA

Está en el primer sueño.

BERNARDA

¡Magdalena!

MAGDALENA
(Disgustada.)

¡Dejarme en paz!

BERNARDA

¡A la cama!

MAGDALENA
(Levantándose malhumorada.)

¡No la dejáis a una tranquila! *(Se va refunfuñando.)*

AMELIA

Buenas noches. *(Se va.)*

BERNARDA

Andar vosotras también.

MARTIRIO

¿Cómo es que esta noche no viene el novio de Angustias?

BERNARDA

Fue de viaje.

MARTIRIO
(Mirando a ADELA.)

¡Ah!

ADELA

Hasta mañana. *(Sale.)*

> (MARTIRIO *bebe agua y sale lentamente, mirando hacia la puerta del corral. Sale* LA PONCIA.)

PONCIA

¿Estás todavía aquí?

BERNARDA

Disfrutando este silencio y sin lograr ver por parte alguna la «cosa tan grande» que aquí pasa, según tú.

PONCIA

Bernarda: dejemos esa conversación.

BERNARDA

En esta casa no hay un sí ni un no. Mi vigilancia lo puede todo.

PONCIA

No pasa nada por fuera. Eso es verdad. Tus hijas están y viven como metidas en alacenas [139]. Pero ni tú ni nadie puede vigilar por el interior de los pechos.

---

[139]   *alacenas:* Lorca sustituye con esta palabra a un *nichos,* tachado en el manuscrito autógrafo, acaso por demasiado explícito.

BERNARDA

Mis hijas tienen la respiración tranquila.

PONCIA

Esto te importa a ti que eres su madre. A mí, con servir tu casa tengo bastante.

BERNARDA

Ahora te has vuelto callada.

PONCIA

Me estoy en mi sitio, y en paz.

BERNARDA

Lo que pasa es que no tienes nada que decir. Si en esta casa hubiera hierbas, ya te encargarías de traer a pastar las ovejas del vecindario.

PONCIA

Yo tapo más de lo que te figuras.

BERNARDA

¿Sigue tu hijo viendo a Pepe a las cuatro de la mañana? ¿Siguen diciendo todavía la mala letanía de esta casa? [140]

PONCIA

No dicen nada.

---

[140] *letanía:* «retahíla de habladurías».

BERNARDA

Porque no pueden. Porque no hay carne donde morder. ¡A la vigilia de mis ojos se debe esto!

PONCIA

Bernarda: yo no quiero hablar porque temo tus intenciones. Pero no estés segura.

BERNARDA

¡Segurísima!

PONCIA

¡A lo mejor de pronto cae un rayo! A lo mejor de pronto, un golpe de sangre [141] te para el corazón.

BERNARDA

Aquí no pasará nada. Ya estoy alerta contra tus suposiciones.

PONCIA

Pues mejor para ti.

BERNARDA

¡No faltaba más!

---

[141] *un golpe de sangre:* «un infarto».

CRIADA
(Entrando.)

Ya terminé de fregar los platos. ¿Manda usted algo, Bernarda?

BERNARDA
(Levantándose.)

Nada. Yo voy a descansar.

PONCIA

¿A qué hora quiere que la llame?

BERNARDA

A ninguna. Esta noche voy a dormir bien. *(Se va.)*

PONCIA

Cuando una no puede con el mar lo más fácil es volver las espaldas para no verlo.

CRIADA

Es tan orgullosa que ella misma se pone una venda en los ojos [142].

PONCIA

Yo no puedo hacer nada. Quise atajar las cosas, pero ya me asustan demasiado. ¿Tú ves este silencio? Pues hay una

---

[142] *se pone una venda en los ojos:* «no quiere darse cuenta de lo evidente».

tormenta en cada cuarto. El día que estallen nos barrerán a todas. Yo he dicho lo que tenía que decir.

CRIADA

Bernarda cree que nadie puede con ella y no sabe la fuerza que tiene un hombre entre mujeres solas.

PONCIA

No es toda la culpa de Pepe el Romano. Es verdad que el año pasado anduvo detrás de Adela y ésta estaba loca por él, pero ella debió estarse en su sitio y no provocarlo. Un hombre es un hombre.

CRIADA

Hay quien cree que habló muchas noches con Adela.

PONCIA

Es verdad. *(En voz baja.)* Y otras cosas.

CRIADA

No sé lo que va a pasar aquí.

PONCIA

A mí me gustaría cruzar el mar [143] y dejar esta casa de guerra.

---

[143]   *cruzar el mar:* «preferiría irme muy lejos, aunque tuviese que pasar muchos peligros». Tanto en la tradición culta —desde Horacio— como en la popular —romance de Conde Niño— *cruzar el mar* supone arrostrar las mayores amenazas. Compárese: «Me he perdido muchas veces por el mar» *(Gacela X de la huida* [II, 345]).

CRIADA

Bernarda está aligerando la boda y es posible que nada pase.

PONCIA

Las cosas se han puesto ya demasiado maduras. Adela está decidida a lo que sea y las demás vigilan sin descanso.

CRIADA

¿Y Martirio también...?

PONCIA

Ésa es la peor. Es un pozo de veneno. Ve que el Romano no es para ella y hundiría el mundo si estuviera en su mano.

CRIADA

¡Es que son malas!

PONCIA

Son mujeres sin hombre, nada más. En estas cuestiones se olvida hasta la sangre [144]. ¡Chisssss! *(Escucha.)*

CRIADA

¿Qué pasa?

---

[144] *hasta la sangre:* «los lazos familiares».

PONCIA
(Se levanta.)

Están ladrando los perros [145].

CRIADA

Debe haber pasado alguien por el portón.

(Sale ADELA *en enaguas blancas y corpiño* [146].*)*

PONCIA

¿No te habías acostado?

ADELA

Voy a beber agua. *(Bebe en un vaso de la mesa.)*

PONCIA

Yo te suponía dormida.

ADELA

Me despertó la sed. ¿Y vosotras no descansáis?

---

[145] El ladrido de los perros por la noche es augurio de desgracia. Un angustioso cuento de Juan Rulfo se llama *No oyes ladrar los perros,* aludiendo a la misma superstición. Compárese: «La noche llama temblando / al cristal de los balcones / perseguida por los mil / perros que no la conocen» [II, 167]; «Por las arboledas del Tamarit / han venido los perros de plomo / a esperar que se caigan los ramos, / a esperar que se quiebren ellos solos» [II, 353]; «¡Quién pudiera quebrar los pies oscuros / de la noche que ladra por las rocas» *(Versos en el nacimiento de Malva Marina Neruda).*

[146] *enaguas blancas y corpiño:* la semidesnudez blanca de Adela es indicio de su rotura con el entorno negro que la rodea y de su cercana entrega erótica. Contrasta con el manto negro que llevará Martirio.

CRIADA

Ahora.

(*Sale* ADELA.)

PONCIA

Vámonos.

CRIADA

Ganado tenemos el sueño. Bernarda no me deja descanso en todo el día.

PONCIA

Llévate la luz.

CRIADA

Los perros están como locos.

PONCIA

No nos van a dejar dormir. (*Salen.*)

(*La escena queda casi a oscuras. Sale* MARÍA JOSEFA *con una oveja en los brazos.*)

MARÍA JOSEFA

Ovejita, niño mío,
vámonos a la orilla del mar [147];
la hormiguita [148] estará en su puerta,
yo te daré la teta y el pan.

---

[147] *a la orilla del mar:* recuérdese la intervención de María Josefa al fin del primer acto.

[148] La hormiguita, como los insectos, es para Lorca lo más simple y puro, lo que necesita más protección. Además de *El maleficio de la ma-*

Bernarda, cara de leoparda,
Magdalena, cara de hiena.
Ovejita.
Meee, meeee.
Vamos a los ramos del portal de Belén [149].

(Ríe.)

Ni tú ni yo queremos dormir.
La puerta sola se abrirá
y en la playa nos meteremos
en una choza de coral [150].

Bernarda, cara de leoparda,
Magdalena, cara de hiena.
Ovejita.
Mee, Meee.
¡Vamos a los ramos del portal de Belén!

(Se va cantando.)

---

riposa, véase *Luna y panorama de los insectos (El poeta pide ayuda a la Virgen)*. Frente a la hormiga, Bernarda y Magdalena, como representantes del resto de la familia, toman aspecto de animales crueles. Sin embargo, en la estética surrealista más cercana a Lorca, la hormiga está ligada a la muerte y al horror, imagen que algunas veces también aparece en el poeta [«Cúbreme por la aurora con un velo / porque me arrojará puñados de hormigas». II, 343]; en este caso se trataría de señalar que las hormigas no amenazarían al niño.

[149]   La referencia es Lope. Por una parte el villancico «Pues andáis en las palmas, / ángeles santos, / que se duerme mi niño, / tened los ramos»; por otra la letrilla «en los pechos de Belisa / se mueren de amor los ramos». Así Lorca combina ternura y erotismo.

[150]   Reelaboración de la nana que Lorca había cantado en su conferencia *Canciones de cuna españolas* («A la nana, niño mío, / y a la nanita y haremos / una chocita en el campo / y en ella nos meteremos», VI, 302), que ya había utilizado dramáticamente como abertura de *Yerma*.

(*Entra* ADELA. *Mira a un lado y otro con si-
gilo y desaparece por la puerta del corral.
Sale* MARTIRIO *por otra puerta y queda en angustioso acecho en el centro de la escena.
También va en enaguas. Se cubre con pequeño
mantón negro de talle. Sale por enfrente de
ella* MARÍA JOSEFA.)

MARTIRIO

Abuela, ¿dónde va usted?

MARÍA JOSEFA

¿Vas a abrirme la puerta? ¿Quién eres tú?

MARTIRIO

¿Cómo está aquí?

MARÍA JOSEFA

Me escapé. ¿Tú quién eres?

MARTIRIO

Vaya a acostarse.

MARÍA JOSEFA

Tú eres Martirio. Ya te veo. Martirio: cara de Martirio.
¿Y cuándo vas a tener un niño? Yo he tenido éste.

MARTIRIO

¿Dónde cogió esa oveja?

MARÍA JOSEFA

Ya sé que es una oveja. Pero ¿por qué una oveja no va a ser un niño? Mejor es tener una oveja que no tener nada. Bernarda, cara de leoparda. Magdalena, cara de hiena.

MARTIRIO

No dé voces.

MARÍA JOSEFA

Es verdad. Está todo muy oscuro. Como tengo el pelo blanco crees que no puedo tener crías, y sí, crías y crías y crías. Este niño tendrá el pelo blanco y tendrá otro niño y éste otro, y todos con el pelo de nieve [151], seremos como las olas, una y otra y otra. Luego nos sentaremos todos y todos tendremos el cabello blanco y seremos espuma. ¿Por qué aquí no hay espumas? Aquí no hay más que mantos de luto.

MARTIRIO

Calle, calle.

MARÍA JOSEFA

Cuando mi vecina tenía un niño yo le llevaba chocolate y luego ella me lo traía a mí y así siempre, siempre, siempre.

---

[151]   Puede significar la falta de amor para realizarse y continuar la vida. Compárese: «MANIQUÍ: Tu niño canta en su cuna / y como es niño de nieve / espera la sangre tuya. [...] JOVEN: Mi niño canta en su cuna / y como es niño de nieve / aguarda calor y ayuda» *(Así que pasen cinco años* [V, 224]); también «Mi madre tiene ya / la cabellera blanca» *(Cancioncilla del niño que no nació* [I, 477]).

Tú tendrás el pelo blanco, pero no vendrán las vecinas. Yo tengo que marcharme, pero tengo miedo de que los perros me muerdan. ¿Me acompañarás tú a salir del campo? Yo no quiero campo. Yo quiero casas, pero casas abiertas y las vecinas acostadas en sus camas con sus niños chiquititos y los hombres fuera sentados en sus sillas. Pepe el Romano es un gigante. Todas lo queréis. Pero él os va a devorar porque vosotras sois granos de trigo. No granos de trigo, no [152]. ¡Ranas sin lengua! [153]

MARTIRIO
(Enérgica.)

Vamos, váyase a la cama. *(La empuja.)*

MARÍA JOSEFA

Sí, pero luego tú me abrirás, ¿verdad?

MARTIRIO

De seguro.

---

[152] El grano de trigo es el símbolo de la fecundidad; véase San Juan, 12, 23-25.

[153] Las *ranas sin lengua* no pueden deshacer el silencio que llena la casa, convertida ella misma en charca, agua que no desemboca; posiblemente sin lengua porque no sienten compasión. Compárese: «El silencio mordido / por las ranas, semeja / una gasa pintada / con lunaritos verdes» [I, 525]; «Bajo el agua / están las palabras. / Limo de flores perdidas. / Sobre la flor enfriada / está don Pedro olvidado / ¡ay! jugando con las ranas» [II, 181]; «El pueblo corría por las almenas rompiendo las cañas de los pescadores. / ¡Pronto! ¡Los bordes! ¡De prisa! Y croaban las estrellas tiernas» [II, 617].

MARÍA JOSEFA
(Llorando.)

Ovejita, niño mío,
vámonos a la orilla del mar;
la hormiguita estará en su puerta,
yo te daré la teta y el pan.

(Sale. MARTIRIO *cierra la puerta por donde
ha salido* MARÍA JOSEFA *y se dirige a la
puerta del corral. Allí vacila, pero avanza dos
pasos más.)*

MARTIRIO
(En voz baja.)

Adela. *(Pausa. Avanza hasta la misma puerta. En voz
alta.)* ¡Adela!

(Aparece ADELA. *Viene un poco despeinada.)*

ADELA

¿Por qué me buscas?

MARTIRIO

¡Deja a ese hombre!

ADELA

¿Quién eres tú para decírmelo?

MARTIRIO

No es ése el sitio de una mujer honrada.

ADELA

¡Con qué ganas te has quedado de ocuparlo!

MARTIRIO
(En voz más alta.)

Ha llegado el momento de que yo hable. Esto no puede seguir.

ADELA

Esto no es más que el comienzo. He tenido fuerza para adelantarme. El brío y el mérito que tú no tienes. He visto la muerte debajo de estos techos y he salido a buscar lo que era mío, lo que me pertenecía.

MARTIRIO

Ese hombre sin alma vino por otra. Tú te has atravesado.

ADELA

Vino por el dinero, pero sus ojos los puso siempre en mí.

MARTIRIO

Yo no permitiré que lo arrebates. Él se casará con Angustias.

ADELA

Sabes mejor que yo que no la quiere.

MARTIRIO

Lo sé.

ADELA

Sabes (porque lo has visto) que me quiere a mí.

MARTIRIO
(Desesperada.)

Sí.

ADELA
(Acercándose.)

Me quiere a mí, me quiere a mí.

MARTIRIO

Clávame un cuchillo si es tu gusto, pero no me lo digas más.

ADELA

Por eso procuras que no vaya con él. No te importa que abrace a la que no quiere; a mí, tampoco. Ya puede estar cien años con Angustias, pero que me abrace a mí se te hace terrible, porque tú lo quieres también, ¡lo quieres!

MARTIRIO
(Dramática.)

¡Sí! Déjame decirlo con la cabeza fuera de los embozos [154]. ¡Sí! Déjame que el pecho se me rompa como una granada de amargura [155]. ¡Lo quiero!

---

[154]   *con la cabeza fuera de los embozos:* «a cara descubierta, sin disimulos».

[155]   La metáfora se apoya en el color y los granos de la granada, que connotan herida y muerte [«Juan Antonio el de Montilla / rueda muerto la pendiente, / su cuerpo lleno de lirios / y una granada en las sienes» II, 145].

ADELA

(En un arranque y abrazándola.)

Martirio, Martirio, yo no tengo la culpa.

MARTIRIO

¡No me abraces!, no quieras ablandar mis ojos. Mi sangre ya no es la tuya, y aunque quisiera verte como hermana, no te miro ya más que como mujer. *(La rechaza.)*

ADELA

Aquí no hay ningún remedio. La que tenga que ahogarse que se ahogue. Pepe el Romano es mío. Él me lleva a los juncos de la orilla [156].

MARTIRIO

¡No será!

ADELA

Ya no aguanto el horror de estos techos después de haber probado el sabor de su boca. Seré lo que él quiera que sea.

---

y la granada amarga o agria, que se usa en cocina o para fabricar agraz con su zumo. Para el contenido simbólico de la granada en Lorca, véase la *Canción Oriental* en el *Libro de poemas* [I, 254-256]; para *amarga,* la *Gacela VI de la raíz amarga* [II, 340].

[156]   Muchas veces, para Lorca, los juncos reflejan la sexualidad, el sitio consagrado para el encuentro de los amantes [Anderson, 1988: 195]. Véase, como ejemplo: «Pasadas las zarzamoras, / los juncos y los espinos, / bajo su mata de pelo / hice un hoyo sobre el limo» [II, 152]; «Con todo el yeso / de los malos campos, / eras junco de amor, jazmín mojado» [II, 344]; «Verte desnuda es recordar la Tierra. / La Tierra lisa, limpia de caballos. / La tierra sin un junco, forma pura / cerrada al porvenir: confín de plata» [II, 354].

Todo el pueblo contra mí, quemándome con sus dedos de lumbre [157], perseguida por las que dicen que son decentes, y me pondré delante de todos la corona de espinas [158] que tienen las que son queridas de algún hombre casado.

MARTIRIO

¡Calla!

ADELA

Sí, sí. *(En voz baja.)* Vamos a dormir, vamos a dejar que se case con Angustias, ya no me importa, pero yo me iré a una casita sola donde él me verá cuando quiera, cuando le venga en gana.

MARTIRIO

Eso no pasará mientras yo tenga una gota de sangre en el cuerpo.

ADELA

No a ti, que eres débil. A un caballo encabritado soy capaz de poner de rodillas con la fuerza de mi dedo meñique.

MARTIRIO

No levantes esa voz que me irrita. Tengo el corazón lleno de una fuerza tan mala, que sin quererlo yo, a mí misma me ahoga.

---

[157]   Adela recuerda el castigo pedido para la hija de la Librada.
[158]   *Corona de espinas* frente a la de flores que llevan las novias. Además por padecer, como Cristo, por amor, siendo siempre éste inocente, al menos para una ética surrealista.

ADELA

Nos enseñan a querer a las hermanas. Dios me ha debido dejar sola en medio de la oscuridad, porque te veo como si no te hubiera visto nunca.

> *(Se oye un silbido y* ADELA *corre a la puerta, pero* MARTIRIO *se le pone delante.)*

MARTIRIO

¿Dónde vas?

ADELA

¡Quítate de la puerta!

MARTIRIO

¡Pasa si puedes!

ADELA

¡Aparta! *(Lucha.)*

MARTIRIO
(A voces.)

¡Madre, madre!

ADELA

¡Déjame!

> *(Aparece* BERNARDA. *Sale en enaguas, con un mantón negro.)*

BERNARDA

Quietas, quietas. ¡Qué pobreza la mía no poder tener un rayo entre los dedos! [159].

MARTIRIO
(Señalando a ADELA.)

¡Estaba con él! ¡Mira esas enaguas llenas de paja de trigo!

BERNARDA

¡Ésa es la cama de las mal nacidas! *(Se dirige furiosa hacia* ADELA.)

ADELA
(Haciéndole frente.)

¡Aquí se acabaron las voces de presidio! (ADELA *arrebata el bastón a su madre y lo parte en dos* [160].) Esto hago yo con la vara de la dominadora. No dé usted un paso más. ¡En mí no manda nadie más que Pepe!

(Sale MAGDALENA.)

---

[159] Bernarda envidia a Zeus, caracterizado por ser el portador del rayo. Pero, al querer ser Dios, se acerca al diablo.

[160] La destrucción de la vara supone no sólo la rebelión personal, sino la ruptura de la aceptación de la autoridad de Bernarda en tanto que poder y en tanto que símbolo de masculinidad. Bernarda sustituirá el bastón por otro símbolo freudiano, pero que comporta un poder no simbólico: el que se apoya en las armas y es portador de muerte, el rayo de Júpiter por el que había suspirado poco antes. Situación similar se produce al final de la *Farsa y Licencia de la Reina castiza*, de Valle-Inclán, donde el bastón de mando tiene también un papel muy importante: «EL REY CONSORTE: ¡Jesús! ¡Jesús! // *Quiebra el bastón en la rodilla / y se filtra por un tapiz / saludando a la Camarilla / con el pulgar en la nariz.* [...] TRAGATUNDAS: Con los fusiles gobernaremos».

MAGDALENA

¡Adela!

(Salen LA PONCIA y ANGUSTIAS.*)*

ADELA

Yo soy su mujer. *(A* ANGUSTIAS.*)* Entérate tú y ve al corral a decírselo. Él dominará toda esta casa. ¡Ahí fuera está, respirando como si fuera un león!

ANGUSTIAS

¡Dios mío!

BERNARDA

¡La escopeta! ¿Dónde está la escopeta? *(Sale corriendo.)*

(Aparece AMELIA *por el fondo, que mira aterrada con la cabeza sobre la pared. Sale detrás* MARTIRIO.*)*

ADELA

¡Nadie podrá conmigo! *(Va a salir.)*

ANGUSTIAS
(Sujetándola.)

De aquí no sales tú con tu cuerpo en triunfo, ¡ladrona!, ¡deshonra de nuestra casa!

MAGDALENA

¡Déjala que se vaya donde no la veamos nunca más!

(Suena un disparo.)

BERNARDA
(Entrando.)

Atrévete a buscarlo ahora.

MARTIRIO
(Entrando.)

Se acabó Pepe el Romano.

ADELA

¡Pepe! ¡Dios mío! ¡Pepe! *(Sale corriendo.)*

PONCIA

¿Pero lo habéis matado?

MARTIRIO

¡No! ¡Salió corriendo en la jaca!

BERNARDA

Fue culpa mía. Una mujer no sabe apuntar.

MAGDALENA

¿Por qué lo has dicho entonces?

MARTIRIO

¡Por ella! ¡Hubiera volcado un río de sangre sobre su cabeza! [161].

PONCIA

Maldita.

MAGDALENA

¡Endemoniada!

BERNARDA

¡Aunque es mejor así! *(Se oye como un golpe.)* ¡Adela! ¡Adela!

PONCIA
(En la puerta.)

¡Abre!

BERNARDA

Abre. No creas que los muros defienden de la vergüenza.

CRIADA
(Entrando.)

¡Se han levantado los vecinos!

---

[161] Echar sangre sobre una persona es, en la tradición literaria, la mayor afrenta e injuria que se puede hacer. Véase lo que dice el Padre Mariana cuando, al contar la leyenda de los Infantes de Lara en su *Historia de España*, juzga la ofensa que se infirió a doña Lambra cuando recibió el cohombro lleno de sangre lanzado por sus hijastros.

BERNARDA
(En voz baja como un rugido.)

¡Abre, porque echaré abajo la puerta! *(Pausa. Todo queda en silencio.)* ¡Adela! *(Se retira de la puerta.)* ¡Trae un martillo! (LA PONCIA *da un empujón y entra. Al entrar da un grito y sale.)* ¿Qué?

PONCIA
(Se lleva las manos al cuello.)

¡Nunca tengamos ese fin!

> *(Las HERMANAS se echan hacia atrás. La CRIADA se santigua. BERNARDA da un grito y avanza.)*

PONCIA

¡No entres!

BERNARDA

No. ¡Yo no! Pepe: irás corriendo vivo por lo oscuro de las alamedas [162], pero otro día caerás. ¡Descolgarla! ¡Mi hija ha muerto virgen! Llevadla a su cuarto y vestirla como si fuera doncella [163]. ¡Nadie dirá nada! ¡Ella ha muerto virgen! ¡Avisad que al amanecer den dos clamores las campanas!

MARTIRIO

Dichosa ella mil veces que lo pudo tener.

---

[162]   El álamo es un símbolo ambivalente por la doble tonalidad de sus hojas: árbol del amor si muestra el lado claro, es símbolo de muerte y llanto si muestra el lado oscuro.

[163]   *vestirla como si fuera doncella:* «amortajadla con un traje blanco».

BERNARDA

Y no quiero llantos. La muerte hay que mirarla cara a cara. ¡Silencio! *(A otra* HIJA.) ¡A callar he dicho! *(A otra* HIJA.) ¡Las lágrimas cuando estés sola! ¡Nos hundiremos todas en un mar de luto! Ella, la hija menor de Bernarda Alba, ha muerto virgen. ¿Me habéis oído? Silencio, silencio he dicho. ¡Silencio!

TELÓN

Día viernes 19 de junio 1936

GUÍA DE LECTURA

por Joaquín Forradellas

Federico García Lorca. Foto archivo Espasa

CUADRO CRONOLÓGICO

AÑO	VIDA Y OBRA DE GARCÍA LORCA	ACONTECIMIENTOS HISTÓRICOS	ACONTECIMIENTOS LITERARIOS Y CULTURALES
1898	Nace en Fuente Vaqueros (Granada). Los padres son Federico, agricultor, y Vicenta, maestra. A los dos meses grave enfermedad que le causa problemas motores.	Tratado de París. Fin de la guerra con Estados Unidos.	Unamuno tiene 34 años; Valle-Inclán, 32; Rubén Darío, 31; A. Machado, 23; Falla, 22; Picasso y Juan Ramón, 17; Ortega, 15; Gómez de la Serna, 10; Salinas, 6; Guillén, 5; Gerardo Diego, 2. Nacen Aleixandre, Dámaso Alonso, Salvador Bacarisse y Brecht. Stanislavski funda el Teatro de Arte de Moscú.
1899			Nacen Emilio Prados, Miguel Ángel Asturias y Jorge Luis Borges.
1900			Nacen Guillermo de Torre, José Gaos y Luis Buñuel. Freud: *Interpretación de los sueños.*
1901			Pío Baroja: *Silvestre Paradox.* Galdós estrena *Electra.* Picasso expone en Barcelona.
1902		Coronación de Alfonso XIII.	Nacen Cernuda y Alberti, Azorín: *La voluntad.* Valle-Inclán: *Sonata de invierno.* Baroja: *La lucha por la vida.*
1903			Nace Max Aub. Juan Ramón Jiménez: *Arias tristes.* Machado: *Soledades.* Azorín: *Antonio Azorín.*
1904			Nacen Salvador Dalí, Pablo Neruda, Salvador Novo y Alejo Carpentier. Sale *ABC.* Premio Nobel de Echegaray. Pérez Galdós: *El abuelo.*

AÑO	VIDA Y OBRA DE GARCÍA LORCA	ACONTECIMIENTOS HISTÓRICOS	ACONTECIMIENTOS LITERARIOS Y CULTURALES
1905			Nace Altolaguirre. Unamuno: *Vida de don Quijote.* Azorín: *Los pueblos.* Rubén: *Cantos de vida y esperanza.* Freud: *Teoría de la sexualidad.* Falla: *La vida breve.* Debussy: *La mer.*
1907		Comienzo de la intervención en Marruecos.	Machado: *Soledades, galerías y otros poemas.* Unamuno: *Poesías.* Valle-Inclán: *Águila de blasón.*
1908	1908-1915: Estudia el bachillerato en Granada y se inicia en la música.		Revista *Prometeo.* Juan Ramón: *Elegías.* Valle-Inclán: *Romance de lobos.* Benavente: *Señora Ama.* Valéry-Larbaud: *Poémes pour un riche amateur.* Surge la palabra «cubismo».
1909		Semana Trágica de Barcelona. Ejecución de Ferrer Guardia.	Benavente: *Los intereses creados.* Lugones: *Lunario sentimental.* Principios del cubismo. Marinetti: *Manifiesto del futurismo.* Rilke: *Requiem.* Debussy: *Images.* Stravinski: *El pájaro de fuego.*
1910			Nace Miguel Hernández. Gómez de la Serna escribe sus primeras greguerías. Rubén: *Poema del otoño.* Juan Ramón: *Laberinto.*
1911			Baroja: *El árbol de la ciencia.* Unamuno: *Por tierras de Portugal y de España.* Valle-Inclán: *Voces de gesta.*
1912		Asesinato de Canalejas.	Machado: *Campos de Castilla.* Valle-Inclán: *La marquesa Rosalinda.*

AÑO	VIDA Y OBRA DE GARCÍA LORCA	ACONTECIMIENTOS HISTÓRICOS	ACONTECIMIENTOS LITERARIOS Y CULTURALES
1913			Benavente: *La malquerida*. Unamuno: *Del sentimiento trágico*. Valle-Inclán: *El embrujado*.
1914		Comienzo de la Gran Guerra. Dato propugna la neutralidad. España se divide en germanófilos y aliadófilos.	Ortega: *Meditaciones del Quijote*. Rubén: *Canto a la Argentina*. Juan Ramón: *Platero y yo*. Falla presenta en España sus *Siete canciones populares*.
1915	1915-1920: Estudios de Derecho y Letras en la Universidad de Granada. Asiste a la tertulia de «El Rinconcillo».	Muere don Francisco Giner.	Revista *España*. Falla: *El amor brujo*. Pound: *Cantos*.
1916	El 15 de octubre: «Salió hacia el bien de la literatura.» Excursiones por Andalucía, Castilla y Galicia. Conoce a A. Machado y a Unamuno. Publica sus primeros textos en prosa y verso.	Congresos de la UGT y de la CNT. En diciembre los sindicatos obreros declaran la huelga general.	Muere Rubén. Revista *Cervantes*. Juan Ramón Jiménez: *Estío*. Arniches: *La señorita de Trevélez*. En Zurich aparece Dadá.
1917		Estados Unidos entra en la guerra. Los líderes del socialismo español son detenidos. Se forman las Juntas de Defensa. Crisis sucesivas de gobierno en España.	Juan Ramón: *Diario de un poeta reciencasado*. Baroja: *Juventud, egolatría*. Apollinaire: *Calligrammes*. Valéry: *La jeune Parque*. Satie: *Parade*.
1918	Se edita *Impresiones y paisajes*. Viaja a Madrid, donde conoce a la Argentinita y a algunos de los hombres del 27.	Acaba la guerra mundial. La epidemia conocida como la «gripe española» causa muchas víctimas.	Revista *Grecia*. Manifiesto *ultraísta*. Ramón: *Greguerías*. Juan Ramón: *Eternidades*. Huidobro: *El espejo en el agua*.
1919	Por consejo de Fernando de los Ríos, se instala en la Residencia de Estudiantes.	Se funda el Instituto-Escuela. En Moscú se reúne la 3.ª Internacional. Mussolini funda el Fascio.	Valle-Inclán: *La pipa de Kif*. Huidobro: *Altazor*. Proust: *A l'ombre des jeunes filles en fleur*. Falla: *El sombrero de tres picos*.

AÑO	VIDA Y OBRA DE GARCÍA LORCA	ACONTECIMIENTOS HISTÓRICOS	ACONTECIMIENTOS LITERARIOS Y CULTURALES
1920	Se estrena *El maleficio de la mariposa*. En agosto, Falla se afinca en Granada y comienza su amistad con el poeta.		Muere Galdós. Unamuno: *El Cristo de Velázquez*. Valle-Inclán: *Luces de bohemia* (versión de *La pluma*), *La enamorada del rey* y *Divinas palabras*.
1921	Publica el *Libro de poemas*.	Dato es asesinado. Desastre de Annual. Nace el Partido Comunista de España. Proceso de Sacco y Vanzetti.	Valle-Inclán: *Los cuernos de Don Friolera*. Revistas *Índice* y *Ultra*. Dámaso Alonso: *Poemas puros. Poemillas de la ciudad*. Grau: *El señor de Pigmalión*. Ortega: *España invertebrada*.
1922	Participa en la preparación de la fiesta y concurso del cante jondo, motivo inicial para la composición de su *Poema del cante jondo*. Lee los dos *Cristobicas*.	Pío XI, Papa. Marcha de Mussolini sobre Roma. Atentado contra Ángel Pestaña. Disolución de las Juntas militares y expediente Picasso.	Benavente, Premio Nobel. Juan Ramón: *Segunda Antología Poética*. Gerardo Diego: *Imagen*. Valle-Inclán: *Cara de plata*. Vallejo: *Trilce*. En Buenos Aires, revista *Proa*. James Joyce: *Ulysses*. T. S. Elliot: *The Waste Land*. Spengler: *La decadencia de Occidente*.
1923	Teatro de marionetas para niños: se representa el *Auto de los Reyes Magos, Los dos habladores* y *La niña que riega la albahaca*. Comienza a escribir el *Romancero gitano* y *La zapatera*. Termina la primera versión de *Mariana Pineda*. Se licencia en Derecho. Conoce a Dalí en la Residencia de Estudiantes.	Asesinatos de Seguí y del cardenal Soldevilla. Dictadura de Primo de Rivera.	*Revista de Occidente*. Salinas: *Presagios*. Freud: *Das Ich und das Es*.

AÑO	VIDA Y OBRA DE GARCÍA LORCA	ACONTECIMIENTOS HISTÓRICOS	ACONTECIMIENTOS LITERARIOS Y CULTURALES
1924	Concluye *Canciones*. Escribe la versión nueva de *Mariana Pineda*, que acabará el 8 de enero de 1925.	Creación de la Unión Patriótica, partido único. Disolución de la Mancomunidad de Cataluña. Destierro de Unamuno. Proceso a Fernando de los Ríos. Muerte de Lenin.	Valle-Inclán: *Luces de bohemia* (versión larga). Machado: *Nuevas canciones*. G. Diego: *Manual de espumas*. Alberti: *Marinero en tierra*. Neruda: *Veinte poemas de amor y una canción desesperada*. Bretón: *Manifeste du surrealisme*. Eisenstein: *La huelga*.
1925	Comienza su correspondencia con Jorge Guillén. Primera estancia en Cadaqués en casa de los Dalí.	Revueltas estudiantiles. Desembarco de Alhucemas y victorias en Marruecos.	Guillermo de Torre: *Literaturas europeas de vanguardia*. Ortega: *La deshumanización del arte*. Miró: *El obispo leproso*. G. Diego: *Versos humanos*. Chaplin: *La quimera del oro*. Eisenstein: *El acorazado Potemkin*.
1926	Conferencia en Granada: *La imagen poética en don Luis de Góngora*. Publicación de la *Oda a Salvador Dalí*. Comienza la segunda versión de *La zapatera*. Lee en Granada el *Homenaje a Soto de Rojas*.	Constitución de la Alianza Republicana. Rendición de Abd-el-Krim. Comités paritarios: la UGT decide participar en ellos.	Revista *Residencia*. Valle-Inclán: *Tirano Banderas*. Altolaguirre: *Las islas invitadas*. Prados: *Canciones del farero*. Eluard: *Capitale de la douleur*.
1927	Publicación de *Canciones*. Margarita Xirgu estrena *Mariana Pineda*. Expone sus dibujos en Barcelona. En diciembre participa en el acto generacional del Ateneo de Sevilla.	Fin de la guerra de Marruecos. Se constituye la FUE y la FAI. Se crea la Asamblea Nacional Consultiva. En París se forma la Concentración de Acción Antifascista.	Centenario de Góngora. Revistas *Verso y prosa*, *Litoral*, *La gaceta literaria*, *Carmen* y *Lola*. G. Diego: *Antología poética en honor de Góngora*. Prados: *Vuelta*. Alberti: *El alba de alhelí*. Cernuda: *Perfil del aire*.
1928	Fundación de *Gallo*. Publicación de *Primer romancero gitano* y de *Mariana Pineda*. Se editan fragmentos de la *Oda al Santísimo Sacramento*. Conferencias: *Imaginación, inspiración y evasión* y *Las nanas infantiles*.		Revista *Gallo*. Guillén: primer *Cántico*. Aleixandre: *Ámbito*. Machado: *Poesías completas*. Brecht: *Die Dreigroschenoper*. Eisenstein: *Octubre*.

AÑO	VIDA Y OBRA DE GARCÍA LORCA	ACONTECIMIENTOS HISTÓRICOS	ACONTECIMIENTOS LITERARIOS Y CULTURALES
1929	Se prohíbe *Don Perlimplín*, que iba a representar El Caracol. Viaje a Estados Unidos. Empieza a escribir *Poeta en Nueva York*.	Cierre de universidades y renuncia de catedráticos. Crack de la bolsa de Nueva York y comienzo de la depresión económica.	Salinas: *Seguro azar*. Alberti: *Sobre los ángeles*. Villalón: *Romances del 800*. Eluard: *L'amour la poésie*. Dalí-Buñuel: *Un chien andalou*.
1930	Regresa de los Estados Unidos, con estancia en Cuba. Primeras lecturas de *Así que pasen cinco años* y *El público*. Conferencia sobre *La arquitectura del cante jondo*. En diciembre El Caracol estrena la versión «de cámara» de *La zapatera prodigiosa*.	Huelga de estudiantes y protestas militares. Primo de Rivera dimite: le sustituye Berenguer —la dictablanda—. Sublevación de Jaca. Pacto de San Sebastián.	A. y M. Machado: *La Lola se va a los puertos*. Ortega: *La rebelión de las masas*. Bretón: *Deuxième manifeste surréaliste*. Buñuel: *L'age d'or*. Stravinski: *Sinfonía de los Salmos*.
1931	Publicación del *Poema del cante jondo*.	Proclamación de la República.	Gómez de la Serna: *Ismos*. Salinas: *Fábula y signo*. Neruda: *Residencia en la tierra*.
1932	Comienza a escribir el *Diván del Tamarit*. Creación y primera salida de La Barraca. Conferencia-lectura de *Poeta en Nueva York*.	Comunismo libertario en el Alto Llobregat. Deportación de Durruti y Ascaso. Sublevación de Sanjurjo. Oliveira Salazar, primer ministro de Portugal, Roosevelt, presidente de Estados Unidos.	Revista *Índice Literario*. G. Diego: *Antología (1915-1931)* y *Poemas adrede*. Aleixandre: *Espadas como labios*. Bretón: *Les vases communicants*. Buñuel: *Tierra sin pan*.
1933	Estreno de *Bodas de sangre*. El Club Anfistora repone *La zapatera* y estrena *Don Perlimplín*. Edición de la *Oda a Walt Withman*. Continúan las representaciones de La Barraca. Conoce a Pablo Neruda. En octubre, conferencias en Buenos Aires. Lola Membrives estrena *Bodas de sangre* (25 de octubre), *La zapatera* en versión ampliada (1 de diciembre) y con el fin de fiesta (16 de diciembre) y *Mariana Pineda* (12 de enero de 1935).	Hitler, canciller del Reich. Firma del pacto cuatripartito. Elecciones a Cortes con el triunfo de las derechas. Fundación de Falange Española.	Revista *Cruz y Raya*. Alberti: *Consignas*. Cernada: *La invitación a la poesía*. M. Hernández: *Perito en lunas*. Pemán: *El divino impaciente*.

AÑO	VIDA Y OBRA DE GARCÍA LORCA	ACONTECIMIENTOS HISTÓRICOS	ACONTECIMIENTOS LITERARIOS Y CULTURALES
1934	El 1 de marzo, Lorca lee en público el primer acto de *Yerma*. Se estrena en Buenos Aires su versión de *La dama boba* de Lope. A fines de marzo emprende el regreso a España. Muerte de Ignacio Sánchez Mejías y redacción del *Llanto*. El 29 de diciembre, Margarita Xirgu estrena *Yerma*.	Asesinato de Dollfuss en Austria. Hitler, mediante prebiscito, asume todos los poderes en Alemania. En octubre, la CEDA accede al poder. Bombardeo de la Generalitat, huelga general, revolución de Asturias. Detención de Azaña y Largo Caballero. Se organiza el Bloque Nacional.	G. Diego: *Antología (Contemporáneos)*. Salinas: *La voz a ti debida*. Cernuda: *Donde habite el olvido*.
1935	Representación de *Yerma* para los actores: Lorca pronuncia su *Charla sobre teatro*. Se editan el *Llanto* y *Bodas de sangre*. Estreno de *Doña Rosita*. La Membrives pone *La zapatera* en Madrid.	Guerra de Abisinia. Reorganización de la FUE. Franco es nombrado Jefe de Estado Mayor Central. Escándalo del *straperlo*. Caída del gobierno.	Aleixandre: *La destrucción o el amor*. Neruda: *Residencia en la tierra, II*, D. Alonso: *La lengua poética de Góngora*. Feyder. *La kermesse heroïque*.
1936	Edición de *Primeras canciones*. Entrega a la imprenta el *Diván del Tamarit*, que quedará en pruebas. Lee *La casa de Bernarda Alba*; se está ensayando *Así que pasen cinco años*. Lorca está escribiendo los *Sonetos del amor oscuro*. En la madrugada del 20 de agosto quitaron la vida a Federico.	Victoria del Frente Popular en las elecciones de febrero. Asesinatos del teniente Castillo y de Calvo Sotelo. Estalla la guerra civil.	Cernuda: *La realidad y el deseo*. Alberti: *El poeta en la calle*. Muere Valle-Inclán. Salinas: *Razón de amor*. Prados: *Llanto subterráneo*. M. Hernández: *El rayo que no cesa*.
1937	*Yerma* se publica en Buenos Aires.		
1938	Guillermo de Torre comienza su edición de *Obras Completas*.		
1940	En Nueva York y México se imprime *Poeta en Nueva York*.		

AÑO	VIDA Y OBRA DE GARCÍA LORCA	ACONTECIMIENTOS HISTÓRICOS	ACONTECIMIENTOS LITERARIOS Y CULTURALES
1945	En Buenos Aires se estrena *La casa de Bernarda Alba*.		
1954	Primera edición española de las *Obras Completas* de Lorca.		
1975	Rafael Martínez Nadal publica dos tomos de autógrafos. En el segundo se da a luz por primera vez *El público*.		
1976	Marie Laffranque edita la *Comedia sin título*.		
1983	Primera edición de *Suites*.		
1984	Primera edición de *Sonetos*.		
1987	Publicación del *Teatro inconcluso*.		

DOCUMENTACIÓN
Y TALLER DE LECTURA

LA CASA DE BERNARDA ALBA es, probablemente, la más discutida, en cuanto a orígenes, intenciones y estética, de las obras dramáticas que escribió Federico García Lorca. Por ello, la crítica abunda en interpretaciones que llevan en direcciones muy distintas. Para mostrarlo recojo una serie de textos —comenzando por uno del propio autor— en que algunos estudiosos han expresado su visión meditada sobre el drama. Cada uno de ellos suscita problemas o soluciones, válidas o discutibles, sobre la obra completa o sobre aspectos parciales de la misma: ofrezco aquí alguna de estas opiniones, y planteo tras cada una de ellas diversas preguntas que, secundariamente, se suscitan desde estos textos. Algunas son las que he usado o he intentado responderme en la Introducción a esta edición. Pienso que así estos fragmentos servirán de acicate, como me han servido a mí, para contrastar la lectura propia con otras diferentes; y a la vez el lector tendrá a su disposición un itinerario que le encamine, que le acompañe en la grata, pero dificultosa, tarea de leer cada vez mejor y con mayor placer.

Como en cualquier obra teatral, el texto escrito es una parte, no siempre la más importante, de su realidad total, que ha de hacerse espectáculo, ofrecido a un público numeroso, nunca individual —frente al libro—, y canalizado a través de un director de escena —primer lector—, un escenario y unos actores. Por ello y porque muchos de nuestros alumnos no han presenciado nunca la ceremonia de alzarse el telón, he terminado la Guía de lectura recogiendo testimonios directos de las tres puestas en escena de LA CASA DE BERNARDA ALBA, que, cada una por causas distintas, he considerado las más interesantes.

1. FEDERICO GARCÍA LORCA: *COMEDIA SIN TÍTULO*

[Telón gris.]

AUTOR. Señoras y señores:
No voy a levantar el telón para alegrar al público con un juego de palabras, ni con un panorama donde se vea una casa en la que nada ocurre y adonde dirige el teatro sus luces para entretener, y haceros creer que la vida es eso. No. El poeta con todos sus cinco sentidos en perfecto estado de salud va a tener, no el gusto, sino el sentimiento de enseñaros esta noche un pequeño rincón de realidad.
Con toda modestia debo advertir que nada es inventado. [...]
Venís al teatro con el afán único de divertiros y tenéis autores a los que pagáis, y es muy justo, pero hoy el poeta os hace una encerrona porque quiere y aspira a conmover vuestros corazones enseñando las cosas que no queréis ver, gritando las simplísimas verdades que no queréis oír.
¿Por qué? Si creéis en Dios y yo creo ¿por qué tenéis miedo a la muerte? Y si creéis en la muerte, ¿por qué esa crueldad, ese despego al terrible dolor de vuestros semejantes?
¡Ja ja ja ja! Diréis que esto es un sermón. [...] Pero ver la realidad es difícil. Y enseñarla, mucho más. Es predicar en desierto. Pero no importa.

Sobre todo a vosotros, gentes de la ciudad, que vivís en la más pobre y triste de las fantasías. Todo lo que hacéis es buscar caminos para no enterarse de nada. [...]

¡Sermón!, sí, ¡sermón! ¿Por qué hemos de ir siempre al teatro para ver lo que pasa y no lo que nos pasa? El espectador está tranquilo porque sabe que la comedia no se va a fijar en él, ¡pero qué hermoso sería que de pronto lo llamaran de las tablas y le hicieran hablar, y el sol de la escena quemara su pálido rostro de emboscado!

La realidad empieza porque el autor no quiere que os sintáis en el teatro sino en mitad de la calle; y no quiere por tanto hacer poesía, ritmo, literatura, quiere dar una pequeña lección a vuestros corazones, para eso es poeta, pero con gran modestia. Cualquiera lo puede hacer. El autor [...] me dijo que en todo arte había una mitad de artificio que por ahora le molestaba, y que no tenía gana de traer aquí el perfume de los lirios blancos o la columna salomónica turbia de palomas de oro.

(Federico García Lorca, *El público* y *Comedia sin título,* Seix Barral, Barcelona, 1978).

2. FICCIÓN Y REALIDAD EN LA *COMEDIA SIN TÍTULO*

2.1. *Ficción y realidad*

Pero la lucha inaugurada en este último caso, a pesar del arranque directo y pugnaz del Autor, es más sorda, por más honda. Trae unas consecuencias mucho más punzantes y peligrosas para autor y auditores. Ataca al público en su propio terreno y quiere obligarlo a mirar lo que no quiere ver: el dolor ajeno; su propia injusticia y cobardía. El Autor pone en cuestión lo divino y lo humano de repente y a la vez, a través de una serie de imágenes líricas y familiares, y de unos hechos prosaicos y corrientes, muy concretos, sumamente crueles, los cuales, al irrumpir inesperadamente en el escenario, resulta imposible soslayar.

Cuenta de antemano con un efecto de rechazo. Sin perder tiempo, se defiende atacando ese «dragón» agazapado que de todos modos se levantaría entre el texto dramático encarnado en su persona y la capacidad de atención y aceptación de los demás. De esta lucha a brazo partido con la prudente hipocresía del espectador depende todo el desarrollo de la obra, y la acogida que ésta puede esperar. No se trata, pues, como en *La zapatera,* de un prólogo que desembocara en el primer acto sin solución de continuidad, sino de una batalla decisiva. La acción empieza con la primera palabra del Autor. Por eso mismo, nuestra actitud mental en aquel momento, sea la que sea, debe compararse con la de los espectadores-personajes de la obra, quienes interrumpen el discurso en la primera ocasión, con una violencia solapada y disfrazada de broma pero inmediatamente interpretada por el Autor como un ataque y un juicio.

Nadie busque una voluntad de lógica realista en estas primeras páginas. El Autor, por cierto, «buscaba otra cosa» al querer inaugurar, a través del teatro, un diálogo, un intercambio, una relación humana auténtica.

(Marie Laffranque, intr. a *Comedia sin título,* en Federico García Lorca, *El público* y *Comedia sin título,* Seix-Barral, Barcelona, 1978, 307-308).

— Este comienzo de la *Comedia sin título* lo escribió Lorca en la misma época que redactaba LA CASA DE BERNARDA ALBA. ¿Puedes relacionar este fragmento con la obra que has leído? ¿Hasta qué punto podría servir de prólogo introductorio para LA CASA? ¿Podrías redactar tú una presentación distinta?

— Lorca aquí implica al espectador en la representación y lo inculpa. ¿Lo hace también en LA CASA? En la Introducción a esta edición se dan algunas ideas; exponlas, justificándolas desde la obra, y aduce ejemplos de algunas escenas.

— Lorca gusta de prólogos en los que el autor, como tal o como director de escena, se dirige al público: *Los títeres de cachiporra, La zapatera prodigiosa,* etc. Relaciona este prólogo con alguno de los otros, explicando semejanzas y diferencias. Atiende a lo que dice Marie Laffranque en su comentario a este fragmento.

— ¿Podrías deducir de aquí cuáles son las ideas de Lorca sobre la función del teatro? Si te es posible, compara éstas con las que expone en la *Charla sobre teatro* (VI, 427-430) y en *En honor de Lola Membrives* (VI, 416-420). ¿Se acomodan con lo que realiza en LA CASA DE BERNARDA ALBA?

— ¿Cuáles son los puntos de vista más interesantes de Marie Laffranque en su comentario a este fragmento? Busca los pasajes de LA CASA DE BERNARDA ALBA que se justifiquen por el comentario de la estudiosa.

3. EL REALISMO EN *LA CASA DE BERNARDA ALBA*

La tensión dramática de la obra nace precisamente del choque de voluntades; de la voluntad dominadora de la madre, auxiliada por la fuerza de la tradición, de la costumbre, de los valores sociales, y la voluntad sorda e invencible de las hijas llevadas por el ansia de vivir y por instintos e impulsos, que a su vez se entrechocan. Y por encima de todas, un sentido trágico de la vida contra el que nada se puede. Por esto es curioso y marca la actitud del personaje central que frente a la muerte de la hija que se ahorca con esa cuerda con que la madre por vía simbólica quisiera atarlas a todas, Bernarda termine el drama con un grito de triunfo. Triunfo ilusorio, como el de doña Perfecta.

Es oportuno consignar aquí el distinto camino a que acude para una interpretación artística de la realidad. Antes el mundo literario del artista abundaba en signos y objetos ya poéticos en sí mismos, o bien de cosas vulgares sometidas a la aduana de su poesía. Él se somete ahora a la prueba, no ya de que entren en su mundo realidades feas o vulgares, sino que las tamiza preferentemente con este criterio. [...] Se diría que sus ojos no han cambiado, sino que están mirando la otra cara de la realidad, con la que realiza una estilización tan literaria como en las obras anteriores. Quizá más. Me atrevo a aventurar que *La casa de Bernarda Alba* sería en nuestros tiempos una vía fecunda, un dato precioso, para profundizar en eso que se ha llamado el realismo español. A mí me sorprende que el mismo poeta que da en el teatro español la máxima nota de ternura, no quiero decir sentimentalismo, se pueda desnudar de ella al punto que lo hace en esta obra. [...] El mundo con toda su dureza, y del que Bernarda y sus hijas se defienden inútilmente, pasa ante sus ventanas en visiones enfurecidas o ebrias de sucio erotismo. [...] Viene a ser esto como una visión nueva, distinta, a fuerza de superación de etapas anteriores. Y es que la trabazón enorme de su obra hace que esta cara de la realidad estuviese anunciada ya y expresada en momentos anteriores de su lírica y su dramática. [...]

El estar él dotado también de esta acuidad españolísima para descubrir el lado negativo de las cosas, viene a confirmar, y esto constituye una de las razones de su fuerza, su vulnerabilidad a todos los aspectos de la poesía, flechado desde los tres frentes poéticos tradicionales: lo épico, lo lírico, lo dramático. [...]

(Francisco García Lorca, «Prólogo a una trilogía dramática», *FGL*, 13-14, mayo 1993, 225-227).

— ¿Qué piensas de la afirmación del hermano de Federico cuando dice que la obra se cierra «con un grito de triunfo» de Bernarda? ¿Cuál es, de verdad, ese grito? Explica por qué el último parlamento de Bernarda puede interpretarse así.

— El crítico habla de la transformación de la vida en literatura, señalando su importancia para clarificar el «llamado realismo español». ¿Cómo opera Lorca para estilizar lo vivido? ¿Es *realista* esta obra? Tanto si tu respuesta es afirmativa como si es negativa, razónala. Puede auxiliarte el recordar que Lorca tacha «La acción en un pueblo andaluz de tierra seca» y lo sustituye con el subtítulo «Drama de mujeres en los pueblos de España». Te puede servir, además, lo que se expone en la introducción a esta edición sobre el sentido de «documental». En otro texto del mismo estudioso, incluido en esta Guía de lectura, se dice que algunos de los personajes, entre ellos el de la Poncia, están tomados de la realidad.

— Seguramente has leído alguna obra llamada realista: alguna de Pérez Galdós (*Misericordia, Nazarín,* etc.), *La busca* de Pío Baroja, *La familia de Pascual Duarte* de Cela, por ejemplo. Incluso alguna de García Márquez. Trata de explicar en qué coinciden y en qué se diferencian los tratamientos de lo real en Lorca y en la novela que elijas. El fragmento que se copia o la lectura de otra obra de Lorca pueden ayudarte.

4. EL PERSONAJE DEL CRIADO EN EL TEATRO LORQUIANO

El enfoque ultrarrealista impone, incluso, una desviación del tratamiento del papel de la criada. La importancia de este personaje, tan ligado a la historia del teatro desde la comedia romana, y revivido por la comedia lopesca, vuelve a reflejarse en el teatro de nuestro autor con caracteres propios. Quizá la función dramática del criado ha sido recogida por Federico de una vieja tradición literaria, pero, sobre todo, va a expresar este personaje, más que otros, un mundo de experiencias personales, que recogen, además, en cuanto a los aspectos de relación familiar, una reali-

dad social españolísima. Ya en *Doña Rosita,* la obra anterior a la
aquí tratada, este personaje ha crecido en importancia, hasta constituir un papel principal. En él se encarna esta relación humaní-
sima, en la que la lealtad bordea lo patético, sin exceder los límites de lo real. No vacilaría yo en considerar a el Ama de *Doña
Rosita* como el tipo ideal de la criada de Federico, el más próximo también a la realidad y uno de los mejor concebidos de su
teatro.

En *La casa de Bernarda Alba,* la Poncia asumirá un desarrollo
paralelo al de Bernarda, hasta operar como un especie de antago-
nista. La relación amo-criado se ha intensificado, pero ha desapa-
recido la cálida efusión anterior, para ser sustituida por una serie
de antagonismos, no sólo de raíz social, de clase, sino de orden
personal. De ahí que esta relación, mucho más matizada y rica
que la existente entre Bernarda y sus propias hijas, llegue a ser
parte esencial de la materia dramatizada y uno de los aciertos to-
tales de la obra. La Poncia de *La casa* y la criada de *Doña Rosita*
son dos polos de criadas, que muestran con firmeza la capacidad
creadora del autor hacia planos opuestos, operando, no obstante,
sobre la misma realidad. Yo he conocido a las dos criadas; a la
Poncia, con ese nombre, desde lejos; a la criada de *Doña Rosita,*
en nuestra casa; tuvo un nombre: Dolores. Dios la bendiga.

(Francisco García Lorca, *Federico y su mundo,* Alianza Editorial, Madrid, 1973, 391-392).

— El crítico resalta lo frecuente del papel del criado
de confianza en el teatro tradicional, tanto clásico
como moderno. Si puedes, compara la actuación de
la Poncia con algún criado de una comedia del Siglo
de Oro y con otra de nuestra época. El profesor ele-
girá las que considere más apropiadas.

— Habla también de la importancia de las criadas
en el teatro lorquiano, situando dos extremos de carácter en la Poncia de BERNARDA y el Ama de *Doña*

Rosita. Si has leído la otra obra, compara el comportamiento de los dos personajes.

— Conoces *La Celestina,* en que los criados ejercen un papel fundamental, así como la relación de ellos con sus amos. ¿Qué semejanzas ves entre aquellos comportamientos y los que se producen en LA CASA?

— Francisco García Lorca subraya «el desarrollo paralelo» de Poncia y Bernarda en su relación de dependencia y odio. ¿Puedes explicar en qué consiste y cómo se pone de manifiesto?

5. LA RELACIÓN DENTRO-FUERA EN EL TEATRO DE LORCA

La relación *dentro-fuera* está expresada en todo el teatro de Federico, como es natural, por el diálogo mismo. Es la vía lógica, pero lo peculiar del poeta es la importancia que asume este tipo de diálogo dramático, que construye con impresionante vivacidad el elemento exterior, el ambiente, el clima, la estación, la temperatura, la luz, la hora exacta.

Esta relación de espacios está subrayada o creada (aparte la acción y el diálogo) por una diversidad de procedimientos: la mariposa que entra en escena, el silbido, la melodía de la flauta, el viento que abre súbitamente una puerta, la coz del caballo en la pared frontera, el canto, el griterío, los olores, las campanas, etc. Se diría, a veces, que la escena en García Lorca es el ámbito intermedio entre el espacio ocupado por el público y los trasfondos. Y de este juego Federico era, creo yo, perfectamente consciente.

Dije antes que casi todas (acaso todas) las obras de Federico ejemplifican con mayor relieve un rasgo determinado de su teatro, que se exalta a primer plano. En *La casa de Bernarda Alba* la relación dentro-fuera acaba por ser la materia misma dramatizada. Y es, quizá, este rasgo el que mejor acusa el lorquismo de la obra. De ahí que el autor haya elegido una escena totalmente *ce-*

rrada, que parece contradictoria con su preferencia por los escenarios abiertos, comunicantes, como la casa de *La zapatera,* que acaba siendo taberna, lugar de espectáculo, casi plaza pública. En el fondo el juego es el mismo.

(Francisco García Lorca, *Federico y su mundo,* Alianza Editorial, Madrid, 1980, 380-381).

— Como señala el crítico, la relación dentro-fuera es esencial en la obra y funciona como símbolo. La escena, sin ventanas, indica un dentro, un encierro. ¿Cómo evoluciona hacia un encierro mayor? ¿Cómo se articulan espacio y tiempo hacia el desenlace? ¿Se alude a algo que esté más adentro de lo que se manifiesta en el espacio escénico? ¿Cómo funcionan, estilística y teatralmente estos espacios más interiores?

— En los documentos que ofrecemos en el apartado 13.1. sobre el montaje de J. A. Bardem (págs. 255-256), se hace referencia a la escenografía. ¿Estás de acuerdo con las ideas que exponen? ¿Qué cambios propondrías?

— Señala, como has hecho con los espacios interiores, cuántos espacios exteriores se hacen presentes y actúan en la obra. ¿Cómo se manifiestan? Estudia la función de alguno de ellos.

— Algunos personajes ajenos a la casa-familia de los Alba entran en escena. Estúdialos y señala de qué manera influyen en la peripecia general.

— La Poncia es un personaje a la vez perteneciente al espacio interior (a la familia) y a un espacio y clase exterior. ¿Puedes estudiar su comportamiento desde esta doble situación?

6. LA LÍRICA EN LOS DRAMAS DE LORCA

García Lorca preservó su última tragedia de casi todas las floraciones líricas acumuladas en sus obras anteriores; pero no quiso prescindir de la copla. En *La casa de Bernarda Alba,* en aquel recinto en que unas mujeres se consumen en un delirio erótico, entra en un momento culminante, como un dardo, como un latigazo, la voz de unos hombres que cantan:

> Abrir puertas y ventanas
> las que vivís en el pueblo,
> el segador pide rosas
> para adornar su sombrero.

[...]

No debemos pasar adelante sin preguntarnos qué función desempeñan estas rupturas líricas del proceso dramático. Ni más ni menos que una función opuesta a la que atribuye Brecht —el par de Lorca entre sus contemporáneos— a sus *songs,* a sus canciones, recitados y danzas. Una especie de «Gegenverfrendungs-effekt», un efecto de alucinación, de captación del espectador por vías irracionales.

[...]

Si nos reducimos a los propósitos teóricos, la oposición entre los poetas español y alemán es manifiesta. Lorca utiliza la lírica en sus dramas para implicar al espectador; Brecht, para alejarlo y despertar su conciencia refleja. Aunque luego, en la realidad ocurra que ambos implican, ambos alucinan.

(Fernando Lázaro Carreter, «Apuntes sobre el teatro de García Lorca», en Ildefonso Manuel Gil (ed.), *Federico García Lorca,* Taurus, Madrid, 1973, 279-281).

— Localiza la escena a que alude Lázaro Carreter. Estudia cómo confluyen en ella el dentro y el fuera en ese momento del drama.

— ¿Cómo se «implica al espectador» con las coplas a las que se refiere el crítico?; ¿son sólo un reflejo del «delirio erótico» o sirven de connotación a otros problemas?

— En el drama hace aparición la lírica en otros momentos. ¿En cuáles? ¿Qué función realizan esos textos? ¿Cómo rompen o se superponen a la línea de comportamiento expresada por las voces familiares?

7. EL VALOR DEL SILENCIO EN *LA CASA DE BERNARDA ALBA*

La acción de *La casa de Bernarda Alba* transcurre en un espacio cerrado, hermético, y está enmarcada por la primera y la última palabra que Bernarda pronuncia: *silencio*. Del primero al último silencio impuesto por la voluntad de Bernarda se desarrolla el conflicto entre dos fuerzas mayores: el principio de autoridad encarnado en Bernarda y el principio de libertad representado por las hijas. El principio de autoridad responde, aparentemente, a una visión clasista del mundo en donde cristaliza una moral social fundada, como escribe Torrente Ballester, en «preceptos negativos, limitaciones y constricciones», y condicionado por «el qué dirán» y por la necesidad consiguiente de defenderse, aislándose de esa vigilancia social y alienante. Bernarda Alba impone en el universo cerrado de su casa un orden identificado con *el* orden, el único posible y necesario porque es juzgado como la verdad, y contra el cual no se admite protesta ni desviación alguna. [...] Porque Bernarda Alba no es sólo la hembra autoritaria, tirana, fría y cruel, según la van definiendo desde la primera escena la Poncia y la Criada, sino, fundamentalmente, ese instinto de poder de valor absoluto que niega la misma realidad, que niega que lo otro y los otros existan.

(Francisco Ruiz Ramón, *Historia del Teatro Español. Siglo XX,* Cátedra, Madrid, 1975, 207-208).

— Ruiz Ramón recalca el valor del silencio en la obra, uniéndolo al principio de autoridad. ¿Cómo se conjugan en el drama?

— El silencio no es unívoco. Hay uno que implica la falta de comunicación entre los personajes, que actúa en escena como ausencia de diálogo, como losa que aplasta a los personajes, aislándolos. Es también un factor rítmico importante. ¿Dónde y cómo, si tuvieras que montar la obra, marcarías tú esos silencios? ¿Podrías intentar una clasificación de ellos? ¿En qué momentos el silencio se acompañaría de movimientos o quietud de los personajes? ¿En cuáles de gestos?, ¿cómo serían éstos?

— Otro silencio es el de callar y ocultar lo que se debería o podría decir. ¿Qué calla en la obra cada uno de los personajes?

— ¿Crees que tiene algo que ver ese silencio dominante con las frases cortantes, casi sentenciosas, de Bernarda? Busca estas frases y trata de dibujar con ellas el código ético que defiende Bernarda. Señala las actuaciones de Bernarda que creas que responden al miedo de que se desmorone su sistema de valores. Apoyándote en esas frases, casi máximas, traza la etopeya de Bernarda.

8. EL REALISMO POÉTICO DE *LA CASA DE BERNARDA ALBA*

Lo poético no está reñido con lo más crudamente real. La razón estriba en que la poesía se nutre precisamente de la realidad, no de la fantasía. Y no es ésta una conclusión de última hora. Ya en su conferencia *Imaginación, inspiración, evasión* (1928) había afirmado García Lorca la pobreza de la imaginación frente a los matices, profundamente poéticos, de la realidad: «Esto se nota muchas veces en la lucha entablada entre la realidad científica y el mito imaginativo, en la cual vence, gracias a Dios, la ciencia, mucho más lírica mil veces que las teogonías». Cabría decir que contra esas teogonías se alza el realismo poético de *La casa de Bernarda Alba*. Adela, la joven hija de Bernarda, es sin duda el personaje más radicalmente rebelde del teatro lorquiano. Su suicidio, que opera sobre el espectador como una auténtica catarsis trágica, es la liberación desesperada, la única salida ante la mortal negación que se le impone a su deseo de amor. Ella es la única entre las hermanas que está incluso dispuesta a la máxima degradación social: ser la amante de Pepe el Romano cuando éste se case con Angustias. Esto en un medio en el que la opinión es sinónimo de honra, máxima categoría moral y de estimación por la comunidad. Adela, por tanto, se rebela desde el principio, y no sólo con su muerte, contra su destino de mujer sometida a un código de extrema opresión. Porque este código opera sobre un tejido de costumbres y normas en el que ser mujer es de por sí una maldición. [...] Mas, antes de que Bernarda Alba aparezca en escena, de que termine la misa de difuntos que se celebra mientras comienza la acción, el poeta ha descrito detalladamente el escenario. Un sobrio realismo preside la «habitación blanquísima» con sus sillas de anea y cortinas de yute. Un insólito elemento llama la atención: «Cuadros con paisajes inverosímiles de ninfas o reyes de leyenda». Estos cuadros proyectan ya sobre la escena su inverosimilitud y contrapunto poético a la acción toda del drama.

Reverso de esas ninfas y reyes de leyenda es Bernarda Alba. [...] El bastón que acompaña a su figura subraya continuamente el poder tiránico sobre el que se apoya. En torno a ella, sus hijas son «ranas sin lengua», como las llama María Josefa, incapaces siquiera de gritar su deseo de poseer al novio de Angustias, que es el subterráneo dueño de la situación, el verdadero Júpiter de esta nueva fábula.

(Mario Hernández, prólogo a *La casa de Bernarda Alba*, Alianza Editorial, Madrid, 1984, 41-43).

— Mario Hernández abre el fragmento oponiendo el mito imaginario y la realidad científica, reproduciendo unas muy importantes palabras de Lorca. Además desarrolla el choque entre una construcción social y la rebelión individual; cada una de ellas crea una ética diferente. Pon en relación, apoyándote en la obra, ambas series. Explica cómo, desde la realidad más verdadera, puede surgir una poesía nueva. ¿Qué valores descubrirá y subrayará ella?

— El estudioso señala que la rebelión de Adela contra un determinado comportamiento impuesto sólo tiene, en la sociedad descrita, dos salidas: el suicidio o la «degradación social». ¿Estaría de acuerdo Adela con esta definición?, ¿por qué? Desde perspectivas distintas, la Poncia sugiere otra posibilidad; búscala y desarróllala.

— En el *Poema del Cante Jondo* Lorca habla de dos tipos de erotismo femenino complementarios, encarnándolos en dos muchachas: La Lola y Amparo. Compara la forma de ver el amor esos personajes con el que manifiestan cada una de las hermanas Alba. El profesor puede encontrar otras figuras de la poesía de Lorca que hagan más completo este aspecto (la monja gitana, Soledad Montoya, etc.).

— Mario Hernández destaca la importancia de los cuadros que se describen en la primera acotación de la obra. En el curso del drama se habla de otros cuadros. ¿Tienen relación con aquéllos? ¿Qué pueden significar los cuadros descritos? El parlamento que sigue al relato de su hallazgo te puede ayudar a interpretarlos.

9. LA CASA DE BERNARDA ALBA Y EL DRAMA RURAL

La complejidad de elaboración del texto lorquiano se dibuja, entiendo, con bastante precisión. Con los datos aducidos, se explica la tremenda distancia que lo separa del drama rural. Genéticamente, *La casa...* pertenece a este género; en su resultado, en su plasmación final, se ha producido un desvío cualitativo profundo respecto al sistema de normas y convenciones de esa serie literaria. [...] No obstante, no cabe desconocer ciertas conexiones, algunas ya señaladas: la ambientación, claro es; muchos elementos del mundo representado (el pueblo corrupto, la murmuración, la jerarquización social de amos y criados); el argumento pasional, e incluso ciertos rasgos constructivos, como los diálogos de criadas —confróntese con *Señora Ama*—; el hecho de que cosas importantes sucedan fuera de la escena e, incluso, el mismo cierre de escopeta y tragedia —haciendo abstracción ahora de la huella galdosiana—. Pero en su conjunto y en su unidad artística el drama lorquiano revela el firme propósito de trascender la intención, temas y estilo del drama rural. El mismo manuscrito hace explícita esta voluntad cuando bajo la relación de las personas dramáticas puede verse cómo se ha tachado la referencia local, típica de los dramas rurales: «La acción en un pueblo andaluz de tierra seca». [...] La misma utilización de los espacios exteriores —puro referente imaginario en el drama rural, gravitación dramática en *La casa...*— habla bien a las claras del movimiento de superación de la serie rural que impulsa a Lorca. Está, en fin, el lenguaje. La imaginaria jerga rústica de don Jacinto ha sido aquí radicalmente eliminada: Lorca trabaja sobre la forma interna de la lengua y se limita a levísimas ruralizaciones o vulgarismos de tipo léxico. Desde esa forma interna se produce la radical poetización en virtud de unos mecanismos específicos de condensación, selección e integración simbólica.

El autor elimina cualquier referencia localista en la presentación de su drama.

(Miguel García Posada, prólogo a *Federico García Lorca: Teatro, 2,* Akal, Madrid, 1982, 31-32).

— El propio crítico sugiere una primera tarea: compara los ambientes, comportamientos y lenguaje de LA CASA DE BERNARDA ALBA con los que se presentan en *Señora Ama,* de Jacinto Benavente, arquetipo de lo que se llamó teatro rural. Analiza cómo se desrealizan, convirtiéndose en símbolo o en elementos connotativos, algunos elementos ajenos al diálogo y a la acción.

— Lorca reelabora la lengua popular para conseguir calidades poéticas. Estudia el habla de un personaje; el de Poncia ofrece un uso ejemplar de palabras, imágenes, frases hechas, etc.; piensa y describe los gestos con los que acompañará lo que dice en algunas escenas: algún diálogo con Bernarda; el que sostiene con la criada al alzarse el telón, sus encuentros con su novio a través de la reja, etc. Puedes comparar esta poesía dramática de Lorca con la que se intenta en otros autores de teatro rural en verso, por ejemplo, con *La ermita, la fuente y el río,* de Eduardo Marquina, o con alguna comedia de los hermanos Álvarez Quintero...

— Miguel García Posada destaca «el cierre de escopeta y tragedia». Sin embargo, Juan Antonio Bardem, cuando monta la obra, suprime la frase «BERNARDA: ¡La escopeta! ¿Dónde está la escopeta?», anotando en su cuaderno de dirección: «Muy peligroso ese *aparte* de BERNARDA; y peligroso: puede romper toda la tensión de ese momento. Así, BERNARDA saldrá sin decir nada». ¿Puedes dar tu opinión sobre la acción de Bardem? Justifícala desde el punto de vista de texto escrito y de espectáculo escénico.

10. Signos sugeridores y «realismo mágico»

Una primera lectura de *La casa de Bernarda Alba* nos hace intuir de inmediato, aunque de manera todavía muy vaga, que el último mensaje de la obra puede estar relacionado con ese aspecto dominante del fondo histórico en que se ha originado. Quizá su imprecisión obedezca al laberinto de equívocos y de encontradas tendencias que es todo texto escrito de una obra destinada a la representación, especialmente si esa obra está concebida en términos poéticos, con la posibilidad de diversos niveles de intelección. Para moverse y orientarse en ese laberinto no hay más remedio que empezar por localizar, aislar e investigar lo que yo llamaría «signos sugeridores» de tendencias esenciales, y que algunas veces se hallarán en las descripciones o acotaciones, otras en la interpretación de los conceptos expresados o implícitos, y aún otras en acciones, imágenes, actitudes, etc. En *La casa de Bernarda Alba* estos «signos sugeridores» muestran, desde muy al principio, la tendencia a una duplicación paralizante. Por un lado, una dirección al parecer consciente y casi forzada que lleva a lo que el autor entiende por «realismo», y que es lo que va a servir de base a muchas de las interpretaciones futuras; por el otro, la presencia de ingredientes poéticos o claramente inverosímiles, de muy probable origen subconsciente, pero siempre concordantes con los elementos que integran la producción anterior del autor.

El título mismo de la obra —con su sustantivo *casa,* y el nombre de pila y el apellido del personaje principal, *Bernarda Alba,* posibles en la vida ordinaria— empieza por darnos una primera impresión de no correspondencia con la serie de títulos, predominantemente líricos o simbólicos, que el autor gustaba de poner a sus obras. Y a continuación viene el subtítulo *Drama de mujeres en los pueblos de España* que parece indicar, con la generalización «en los pueblos», algo sintomático y común a la vida pueblerina española. Sin embargo, un conocedor aun superficial de la vida de esos pueblos sabe que un caso, como el que en la obra se expone, sería imposible en la mayoría de los pueblos de la España vivida por el autor, y aceptable sólo como extraordinario y raro incluso en tierras andaluzas o acaso castellanas. Por otra parte, la falta de verosimilitud o de trascendencia, en un primer plano intelectivo, es característica normal del teatro de García Lorca. Sabemos, por experiencia, que detrás de la apariencia superficial se esconde siempre en su teatro una intención oculta y, con frecuencia, valiosa en términos universales. De no ser así, hubiera caído en un pintoresquismo parecido al de los hermanos Quintero, o al de cualquier otro oficiante del arte escénico.

> (J. Rubia Barcia: «El realismo mágico de *La casa de Bernarda Alba*», en Ildefonso Manuel Gil [ed.]: *Federico García Lorca*, Taurus, Madrid, 1973, 304-305).

— El autor de este estudio indica que, junto a una lectura directa de la historia, se abren muchas otras posibilidades de interpretación, que conducen —cuando se pone en escena— a montajes diferentes. En estos mismos apéndices puedes ver reflejada la interpretación de tres directores distintos. ¿Con cuál de ellas estás más de acuerdo? ¿Por qué?

— La obra está escrita en 1936, inmediatamente antes de la guerra civil española y en el contexto histórico que preludia la Segunda Guerra Mundial. ¿Puedes, apoyándote en lo que has estudiado en historia, ver si hay reflejos de la situación política y social de la época en esta obra?

— Para interpretaciones que se escapen del mero realismo, Rubia Barcia indica que «no hay más remedio que empezar por localizar, aislar e investigar lo que yo llamaría *signos sugeridores*». Hazlo tú, y explica qué otros posibles sentidos se revelan. Piensa que esas lecturas posibles son las que hacen que la

obra se separe de su momento de creación —de su
serie histórico-cultural— y tenga validez universal,
es decir, para espectadores no contemporáneos ni co-
terráneos.

11. LENGUA POÉTICA E HISTORIAS PARALELAS EN *LA CASA DE BERNARDA ALBA*

A menudo se introduce también en el discurso de *La casa de
Bernarda Alba* otra interferencia poética menos perceptible, que
no interrumpe la prosa, que introduce de pronto en el diálogo referencias a una tercera realidad (ni la exterior ni la de la obra,
sino más bien la de un mundo poético alojado en otra parte): así,
cuando Adela declara a Martirio que Pepe el Romano la lleva a
«los juncos de la orilla» no puede estar refiriéndose —a pesar de
los artículos determinados— a la realidad de un «maldito pueblo
sin río, pueblo de pozos», sino al mismo espacio que el Poeta
menciona ante los espectadores del *Retablillo de don Cristóbal*,
donde «si un corazón late con fuerza nos parezca una mano apre-
tando los juncos de la orilla», o acaso a los «juncos de las orillas»
y «los juncos del agua» que, en *Así que pasen cinco años,* parecen asociados a la muerte. [...] Por el ladrido de los perros («están
como locos») en la última noche de Adela sabe la Criada que
«debe haber pasado alguien por el portón»; el espectador puede
sospechar que se trata de Pepe el Romano, pero acaso también de
la «Muerte» que «llega y ordena a los perros cantar su canción»,
según había interpretado García Lorca en el Monasterio de Silos
muchos años atrás: «No se comprende de otra manera cómo un
animal tan noble y pacífico pueda gritar con esa solemnidad aterra-
dora y fúnebre».

[...]

Este tipo de historias paralelas, historias-espejo, se distribuye
con sorprendente precisión a lo largo de la obra: el caso de Paca
la Roseta y el de la mujer vestida de lentejuelas desdibujan en su

momento las marcadas diferencias que supone Bernarda entre forasteros y nativos, los de dentro y los de fuera, la casa y el olivar, hasta el punto de que las flores vergonzosas que adornaban la cabeza de Paca la Roseta proyectan un valor equívoco sobre las que aparecen entre las canas de María Josefa. Con la historia de Adelaida y la semejanza de los nombres (Adelaida/Adela) se introduce el tema de la repetición y del sino. [...] En la anécdota de Evaristo el Colín no sólo se proyecta lo que de noche acontece en alguna reja de la casa de Bernarda (y que los personajes aún ignoran o se niegan a comunicar), sino también la dificultad de distinguir entre las relaciones de los pobres y las relaciones de los ricos, como pretende Bernarda. En la historia de la hija de Prudencia se anuncia además el desorden de relaciones familiares que secretamente gobierna la *casa* de Bernarda. La de la hija de la Librada añade otros matices: en primer lugar, cierra un acto, y en esa posición sus acentos premonitorios se vuelven más agudos y solemnes; segundo, uno de los personajes, Adela, percibe ya el doble mensaje de la historia (como revelan sus gestos y sus gritos) y la tiñe así de urgencia e inmediatez. Pero las siete historias paralelas o marginales no son en realidad más que variaciones sobre el mismo tema central. [...]

(Luis Fernández Cifuentes, *García Lorca en el Teatro: La norma y la diferencia,* Universidad de Zaragoza, 1986, 194-195 y 197-198).

— En el texto anterior se hablaba de «signos sugeridores»; en éste se indican algunos, los que se apoyan en un lenguaje poético, hiperconnotado, aunque se refieran a una realidad evidente. Busca estos momentos especiales y estudia cómo funcionan en el contexto en que se hallan.

— Fernández Cifuentes hace que nos fijemos en unas historias paralelas, a veces referidas, otras que suceden en el tiempo real de la obra, que se integran en la obra con una finalidad muy precisa. Aíslalas, estudia cómo se sitúan con respecto al tiempo de la diégesis para constituir la trama (analepsis, prolepsis, contemporaneidad), y analiza cómo se integran para contribuir a la acción dramática. Fíjate también en sucesos externos aludidos, pero no relatados (la posible conversación de los hombres en el patio, el asunto de los cuadros que están en el desván, etc.).

12. LAS RELACIONES HUMANAS
EN *LA CASA DE BERNARDA ALBA*

En su conjunto, tanto la trama principal [de *La casa de Bernarda Alba*] como [las] viñetas secundarias presentan una visión sombría de la experiencia y las expectativas humanas. La vida es gobernada por una libido fuerte pero inconstante: cuando es reprimida causa una frustración y una infelicidad intensas, pero suelta suele resultar en encuentros o relaciones breves, infelices y hasta a veces fatales. En un nivel más amplio rige una clara falta de ternura, cariño, comprensión y compasión en casi todas las relaciones humanas, tanto en las eróticas o las potencialmente sexuales —las cuales no trascienden comúnmente lo físico y apasionado— como en las que implican lazos familiares o sociales —padres e hijos, hermanos, los habitantes de un pueblo.

(Andrew A. Anderson, «El último Lorca: unas aclaraciones a *La casa de Bernarda Alba, Sonetos* y *Drama sin título»*, *Lecciones sobre Federico García Lorca,* Granada, 1986, 136).

— ¿En qué partes del texto se nota más la falta de ternura, de amor e, incluso, de caridad entre los personajes? ¿Ves algún momento en que la falta de amor y comprensión se convierta en crueldad? ¿En qué direcciones se manifiesta ésta?

— Hemos hablado antes de alguna similitud con *La Celestina*. ¿Puedes ahora relacionar esta ausencia de humanidad, la confusión de amor y sexo, otros tipos de comportamiento con los que se dan en la *Tragicomedia?*

— *La Celestina* se cierra con el suicidio de Melibea; LA CASA, con el de Adela. ¿Se podría encontrar alguna relación entre los dos?

— Relee el llanto de Pleberio en el auto XXI de *La Celestina* y el parlamento con que Bernarda cierra la obra. Explica las diferencias que encuentres entre ambos.

13. TRES DIRECTORES TEATRALES ANTE *LA CASA DE BERNARDA ALBA*

13.1. *El montaje de Juan Antonio Bardem*

DECORADOS

Entre tanto, se discutía quién iba a hacer los decorados. Yo concibo la función del director teatral como de servidumbre y humildad, de armonizador de un texto, de unos actores, unas luces... Así como el director de cine es el creador, en teatro sólo se trata de «interpretar». Con este espíritu pensé en el decorado. Se habló de Caballero, pero como ya había hecho las cosas anteriores de Lorca representadas en Madrid, para evitar que pudiera pensarse que tenía la exclusiva, propuse a Saura, en primer lugar porque me gusta mucho su pintura y, además, porque creo que esa absoluta desnudez suya le iría muy bien a la obra, además de su profundo conocimiento del mundo popular. [...] De todos modos, la idea general está ya dada en el texto, que señala que la acción ha de desarrollarse, primero, en una habitación «blanquísima»; luego, en una habitación «blanca», y por último, en el patio. Las ideas fundamentales que había que dar eran las de represión y las de un espacio dramático cerrado, un mundo metido dentro. Tenía que haber únicamente los huecos indispensables, cuatro en cada acto, y había que buscar el modo de distribuirlos... Quisimos que los muros fueran blancos, pero al mismo tiempo evitar toda referencia folclórica ambiental. [...] Queríamos que todo transcurriera en el interior, sin ninguna referencia al exterior. [...] Podría haber habido un realismo puntillista, en el supuesto de atender a todas y cada una de las anotaciones del texto; pero pensamos que era más interesante ir a un tipo de abstracción más total y generalizadora. También nos pareció interesante el prescindir de ventanas y techos, para lograr la sensación de que los personajes están en el fondo de un pozo. [...] Por último, para el tercer acto nos basamos en una foto que tenía Saura de una posada de Tembleque y que nos dio la idea de la escalera, que permitía que la acción final, tan intensa, se desarrollara en dos planos. [...] El problema más grave era el de si el patio debía ser abierto o cerrado, y aquí hubimos de discutir con la familia de Lorca, que al principio aconsejaba que se hiciera abierto, de acuerdo con la tradición, para al final llegar al acuerdo de hacerlo cerrado para evitar la dispersión.

(Juan Antonio Bardem [notas sobre su montaje], *Primer Acto,* núm. 50, febrero de 1963).

El decorado ideal, tal como yo lo veo, consiste en una serie de elementos absolutamente necesarios para el desarrollo de la obra, viviendo en una caja oscura, en una caja sin fondo. Estos elementos no tendrían que ser necesariamente abstractos, simbólicos o estilizados; podrían ser objetos concretos obedeciendo a una función determinada. Pero para realizar esto habría que disponer también de un teatro especial. Un teatro muy sombrío que acentuara la concentración en la escena y una escena que fuera un simple rectángulo practicado en un muro dando acceso a una cámara oscura donde, al modo de una pantalla de televisión, surja, al levantarse el telón, una ventana abierta sobre la realidad o sobre la imaginación. Ello requeriría la ausencia de cortinajes y de muchos elementos tradicionales a fin de que la atención del espectador se concentrara únicamente en lo que sucede dentro de este acuárium que sería la escena.

El decorado de *La casa de Bernarda Alba* en este teatro podía haber sido mucho más sintético y extremado. [...] En *La casa de Bernarda Alba* no se podía ni se debía —a mi modo de ver— hacer un decorado imaginativo. Lo único que podía aportar la imaginación —si a esto se puede llamar imaginación— era acentuar al máximo la desnudez ambiental; crear un espacio en cierto modo intemporal, internacional incluso. Los elementos que podían poblar el escenario serían únicamente aquellos eminentemente necesarios para la acción. [...]

Se ha buscado, pues, un juego de volúmenes que variando el espacio para cada acto contribuyera a crear una sensación de soledad, de vacío. [...]

Las puertas se han alargado fuera de medidas normales y se ha prescindido de techo y de suelo. El suelo se ha pintado en un color gris oscuro y ha sido la presencia de un solo elemento para cada acto (la alacena, el espejo, la mesa) quienes imponen su realidad como objetos centradores de atención y creadores de ambiente. [...] Únicamente se han suprimido los cuadros de ninfas o de reyes de leyenda indicados por el autor, y se ha añadido un espejo que preside la zona de trabajo de las mujeres en el segundo acto, al modo de las casas españolas del siglo XVI. Este espejo, colocado frente al espectador, debería reflejar al público a un tiempo que a los fantasmas de Bernarda Alba en sus idas y venidas.

Creo que un decorado de teatro debe «recordarse» en función de lo que él haya contribuido al clima de la obra, sin que el pintor traicione por ello sus convicciones. En el decorado para *La casa de Bernarda Alba* no hay relación con mi pintura, pero sí la hay con mi idea de un espacio habitable. En mí siempre ha habido una dualidad contrapuesta: una necesidad de desnudez ambiental y el desarrollo barroco y convulso de la obra pictórica. [...]

(Antonio Saura, *Primer Acto*, núm. 50, febrero de 1963).

13.2. *El montaje de José Carlos Plaza*

Nuestra primera intención es la «compresión». Compresión de los comportamientos de Bernarda y de sus hijas. No son monstruos, ni seres robotizados. No hay verdugo y cinco víctimas. Bernarda no es la fuerza bruta, sino una mujer reprimida y, por tanto, represora, una mujer inculta, sin armas culturales ni experiencias que la permitan moverse de sus normas, normas que la han inculcado, que la rodean y sin las cuales no puede vivir. No conoce otra forma de actuación y sin ella se pierde. [...]

Las hijas no son para nosotros las «pobres víctimas» de una fuerza represora. Son mujeres, al igual que Bernarda, incultas e insolidarias, agarradas a una situación cómoda que les permite vestirse, dormir y comer sin problemas materiales, que reduce sus inquietudes y limita sus posibilidades. [...] Son víctimas de sí mismas, de su situación y verdugos con las demás, unas con otras. Reflejo mimético de nuestro pueblo, acomplejado frente al exterior, despreciativo de lo que consideramos inferior, de lo que no conocemos, durante tantos años dominados por una fuerza dictatorial y asustados ante un futuro que requiere otras soluciones, no las conocidas, sino diferentes, imaginativas, las cuales ni siquiera nos planteamos.

Los demás personajes de la obra colaboran en este organigrama de víctimas-verdugos. [...]

Sólo Poncia y María Josefa escapan relativamente de este esquema. Son los polos opuestos; Poncia, real, que no se calla, que se rebela ante lo inevitable, pero atada a una fidelidad equívoca, a una situación material necesitada de Bernarda (sus hijos, ella misma), sin posibilidades reales por su extracto social y sus creencias religiosas (ley de Dios, ley de los padres, etcétera), y María Josefa, libre en su locura, la imaginación atada, la posibilidad perdida, el recuerdo del futuro para cada uno de los personajes. Estéril, pero lúcida y consciente de una realidad palpable. Quiere huir y no puede. Acusa cuando ya es un ser excluido de la sociedad.

¿Qué nos dice la obra? ¿No hay solución? ¿Qué esperanza cabe? Pensamos que la obra es diáfana: la muerte de Bernarda no solucionaría nada. Bernarda es nuestra excusa. ¡No somos nosotros mismos porque no nos dejan! ¿Qué mejor justificación para el no hacer? Nuestra lectura de la obra de Federico García Lorca está dirigida a nosotros mismos y a nuestra cobardía.

Para esta lectura necesitamos un equipo artístico y técnico con el que pudiéramos conversar y entendernos. Y éste ha sido nuestro resultado: una escenografía no pobre, sino de clase media alta; un vestuario no de aldeanas, sino de señoritas de pueblo con medios. Una casa cómoda y bienes materiales antiguos y conocidos. Tan conocidos que sin ellos no podríamos vivir. Por eso era imprescindible un perfecto atrezzo, vasos, manteles, sábanas, camas, etcétera, que comunicara esa idea.

(José Carlos Plaza: Temporada 1984-1985. Prospecto).

A. D'ODORICO.— En *Bernarda...,* por ejemplo, yo tenía la idea de que el espacio fuera un laberinto.

J. L. ALONSO.— Entremos ya pues en el tema de tu último trabajo como escenógrafo, *La Casa de Bernarda Alba* de F. G. Lorca, estrenado en el Teatro Español con dirección de J. C. Plaza. Hablamos del porqué de ese laberinto.

A. D'ODORICO.— En ese laberinto la gente se podía perder y espiar; pero la escenografía es única sin cambios, porque atendía a la circunstancia especial de esta obra, que está hecha para viajar al resto de España y por lo tanto tuve que pensar en un montaje fácil y consecuente. Además en esta obra todo ocurre en el interior de la casa donde están encerradas. Los techos no existen en estas casas de paredes altas, porque todo sucede allí abajo. El realismo está allí, en esas cinco hermanas, la madre y las criadas... La escenografía debía dirigirse a resumir este realismo. Un realismo no en sentido general, sino teatral.

J. L. ALONSO.— El escenario tiene sus leyes propias y de alguna forma siempre hay que respetarlas. Sin embargo, hay algo en la escenografía de *La Bernarda*... que a mí como espectador me causó sorpresa. Tú eres un hombre que trabaja y que utiliza los signos con economía, pero esto no sucedía en *La Bernarda*...
[...]

J. L. ALONSO.— Todo aquello es un poco agobiante... ¿Era tu intención?

A. D'ODORICO.— Sí, es algo que yo he pretendido.

J. L. ALONSO.— En la segunda parte cuando se abren las puertas centrales se siente una sensación de respiro. Las proporciones se hacen más equilibradas.

A. D'ODORICO.— El espacio se convierte entonces en el exterior de la casa.

J. L. ALONSO.— Aparte de lo que representa, hay más huecos, hay menos líneas, y es más cómodo para la mirada del espectador. ¿Este cambio estaba pensado así?

A. D'ODORICO.— Estaba pensado transformar el espacio de interior a exterior subiendo la mampara de las puertas y llegando hasta delante con la luz, dejando la casa tal como está.

J. L. ALONSO.— Tú ahora, cuando lo ves, después de haber pasado el tiempo... ¿Qué opinas del resultado final de tu trabajo? ¿Qué modificarías?

A. D'ODORICO.— En este momento no sabría contestarte, pero creo que el planteamiento plástico del montaje corresponde al planteamiento realista que ha tenido su director, José Carlos Plaza. [...]

J. L. ALONSO.— ¿No piensas que esta escenografía es una de las menos personales tuyas, de las menos definidas...?

A. D'ODORICO.— Es un poco siniestra... Está hecho a propósito. Ésa era nuestra intención.

> (José Luis Alonso de los Santos, «Con Andrea D'Odorico, escenógrafo de *La casa de Bernarda Alba*», *Primer Acto,* núm. 205, septiembre-octubre, 1984).

13.3. *El montaje londinense de Nuria Espert*

Ezio Frigerio y Franca Squarzapino. Colaboradores en la *Salomé,* han sido como dos rocas a mi lado. Los figurines de Franca, como yo ya suponía, perfectos. Y Ezio ha hecho un trabajo totalmente deslumbrante. *Salomé* requirió una escenografía imaginativa. El caso de la *Bernarda* era diferente. Hacía falta algo que se adaptara a la durísima realidad de la obra. Yo pensaba que lo interesante de mi trabajo con aquellas actrices estaría en que fuera capaz de... digamos... tirarlas de cabeza al pozo, de precipitarlas... Víctor García podía hacer eso con cualquiera en medio de hierros y poleas y, ¡qué sé yo!... Pero yo necesitaba un clima de suprarealidad, una realidad más real que lo real. Explicarlo es bastante complicado. Ezio lo entendió perfectamente. Su escenografía da la sensación al espectador de hallarse ante una especie de pozo de piedra en cuyo fondo se moverían y debatirían unas cucarachas. [...]

A la hora de dirigir *La casa de Bernarda Alba* no me he planteado para nada ni la muerte de Lorca, ni su figura, ni su aniversario, ni España, ni nada de todo eso... He cogido la función y la he leído con ojos profesionales, como si fuera una obra que un amigo me hubiera traído. Y he leído lo que dice. Y la obra no es una obra andaluza, así que no la he situado en Andalucía. Y la obra no es un cromo, así que no me podía salir un cromo. Y si las gentes dicen: «Pronto estaré fuera de este infierno», yo he hecho un infierno...

He tratado de ser muy simple, de... ser... moderna, de abandonar todos esos elementos que tanto nos han apoyado en el desarrollo del teatro en los últimos diez años. [...] Me he tomado el texto al pie de la letra. Esto, que parece tan obvio, yo no lo había hecho nunca en el teatro. [...] Ésta ha sido una *Bernarda* de carne cruda, de sangre y de pescado podrido por todas partes.

(Nuria Espert, «Una Bernarda de carne y de sangre», *Primer Acto,* núm. 215, septiembre-octubre, 1986).

J. MONLEÓN— Lo que pasa, Nuria, es que es fácil aceptar que unas cuantas actrices inglesas, sensibles e inteligentes, lleguen a entender los personajes de *La casa de Bernarda Alba*. El problema está en que los actúen, en que asuman sus comportamientos con convencimiento, en que se pongan los trajes negros, griten, se peinen, miren y se muevan *desde dentro*. El sexo y la represión son temas universales, pero se viven de modo distinto, y la cuestión estaría en saber cuál fue la clave para conseguir que tus actrices *creyeran* sus personajes.

N. ESPERT— Creérselo. Ésa es la palabra que abre todas las puertas. Cuando el Lyric andaba detrás de Joan Plowright para que hiciera La Poncia, la actriz, que estaba de super-estrella en la Royal Shakespeare, tardó un mes en contestar. Estábamos todos muy nerviosos cuando ella, a través de su agente, dijo que no podía aceptar sin una previa conversación con la directora. La directora, que era yo, se llevó el correspondiente susto y, al tiempo que hacía las audiciones para elegir a las actrices que debían de hacer las hijas de Bernarda, tuve la entrevista con Joan. Ella estaba profundamente preocupada por lo que debería hacer para convertirse en española, y yo traté de convencerla de que en el momento en que creyera en ese texto, que dejara de ser una preocupación intelectual, que creyera que vivía en el decorado que ya conocía, y que lo que contaba era verdad, todo funcionaría perfectamente. Era bueno que leyera una biografía de Federico para situar al autor, pero todo lo que debía saber de La Poncia estaba en la obra y no debía acumular una documentación que pudiera dificultar la aproximación emocional al personaje, entrar dentro de él, creérselo. [...] Debía olvidar el carácter *lejano,* o falsamente *exótico,* que atribuía a la obra y que, en el fondo, quería remediar a través de la documentación y de una actitud intelectual. Tenía, en resumen, que creer en el personaje como creía en los personajes de Shakespeare, de Ibsen, de Shaw o de Chejov. Sólo así, aceptando la obra desde la obra misma, podría hacer un buen trabajo. Me marché, lógicamente preocupada, y, una semana después, Joan Plowright nos comunicó que aceptaba el papel. Luego, a la hora de los ensayos, cada vez que una actriz intentaba explicar que en España las cosas eran un tanto particulares, Joan les soltaba el mismo discurso que yo le había hecho a ella. [...] Creo que cuanta más teoría sepamos, mejor. Pero cada vez que se monta un texto hay que partir básicamente de él y profundizar en él cuando sea necesario, sin que interfieran negativamente consideraciones que le son ajenas. [...] Los artistas son creadores y no teóricos del arte.

(José Monleón, «Con Nuria Espert. Lorca, una estrella del West End», *Primer Acto,* núm. 217, enero-febrero, 1987).

LA REPRESENTACIÓN

Un patio cerrado, con varias puertas y ventanas, blanqueado por la cal y cubierto por un toldo móvil que lo protege del sol. Una sugestiva propuesta de Ezio Frigerio, el conocido escenógrafo de Strehler, con quien Nuria conectó por vez primera para la *Salomé* del Teatro Romano de Mérida. Una escenografía que descubre, apenas alzado el telón, las claves poéticas del montaje: partir del naturalismo para trascenderlo. Exactamente igual a lo que hizo Lorca cuando se planteó la obra como un documento y acabó construyendo un poema, cuando tomó un hecho de la vida andaluza y lo convirtió en una revelación de cuanto subyacía en las palabras y los comportamientos. [...]

Se parte siempre de las situaciones, de los personajes y de las palabras de Federico y, a la vez, la representación sitúa toda esa realidad en el plano imaginativo, creativo —y nunca ilustrativo o fotográfico—, que es propio de la obra artística.

[...] Porque lo importante, lo singular de ese montaje está, precisamente, en la creación del mundo lorquiano a partir del imaginario, es decir, de la aceptación profunda por parte de cada actriz de un personaje que le ha sido revelado por el dramaturgo. [...] Ha sometido su imaginario a la disciplina poética de entrar en el mundo creado por el dramaturgo. Y al aceptarlo, al sentirlo creíble, ha construido una verdad teatral en la que se darían las dos grandes ambiciones de Federico: escribir un documento y trascenderlo, remitirnos a una realidad social y, a la vez, crear una realidad dramática autónoma.

(José Monleón, «Cuando muere el exotismo», *Primer Acto*, núm. 217, enero-febrero, 1987).

14. SUGERENCIAS PARA OTRAS ACTIVIDADES

14.1. Estamos acostumbrados a que las obras de teatro se presenten divididas en escenas, marcadas por la entrada y salida de los personajes. Lorca —siguiendo a Valle-Inclán y a una tradición clásica— no lo hace así.

— Intenta una división en escenas. Ten en cuenta que Lorca construye el drama por una articulación de secuencias o cuadros (como *Luces de Bohemia* o como *La Celestina),* definidos por unidades de trama. Trata de secuenciar la obra a partir de ésta. ¿Qué movimientos escénicos señalarían el cambio de secuencias?

— El cambio de decorado, que se produce en tres momentos, marca cambios de peripecia más importantes: por eso Lorca los describe con mucho más cuidado. Estudia las acotaciones y analiza qué significado se quiere señalar con las modificaciones.

14.2. La obra sucede, aparentemente, en un mismo lugar, y en un mismo tiempo, una tarde y un verano, que no se corresponden con la duración de la acción, mucho más larga.

— ¿Cómo se articulan el tiempo escénico y el tiempo de diégesis? ¿Has oído hablar de la ley de las tres unidades, ¿cómo se respeta y se rompe en este drama? Piensa en las razones que ha podido tener el poeta para seguir esta técnica.

14.3. Habrás comprobado que los personajes usan registros lingüísticos distintos.

— Trata de describir alguno de ellos. ¿Cómo se oponen y complementan los de Bernarda y la Poncia? Estudia el problema tanto desde un punto de vista literario como teatral.

14.4. Aunque el texto encierra una mínima «historia narrada», las relaciones entre los personajes son complejas y varían al desarrollarse el discurso.

— Establece y comenta cómo son éstas, cómo se hacen patentes y cómo se modifican.

14.5. LA CASA DE BERNARDA ALBA, en su redacción, no puede escapar al momento en que fue escrita; además Lorca nunca intentó ser un escritor atemporal. Al consultar el libro de Historia y el de Literatura, notarás que esos años fueron cruciales tanto para la vida española como para la europea. En literatura se hacen visibles dos corrientes básicas, que en ocasiones intentan coincidir: la que defiende la pureza del arte y la que apuesta por su compromiso social y político.

— En esa doble encrucijada, ¿cómo caracterizarías esta obra? ¿Qué valores muestra para que, sobrepasando su tiempo, la mantengan válida para el espectador de hoy?

14.6. Un tema muy frecuente en Lorca es el de la crueldad con que se ejerce la autoridad, así como la rebelión frente a un orden en que se hace caso omiso de los valores humanos. En el *Romancero gitano,* o en *Poeta en Nueva York,* encontrarás ejemplos. Pero donde acaso es más visible esta forma de ejercer la autoridad, junto con LA CASA, es en la «Escena del teniente coronel de la guardia civil», al final del *Poema del cante jondo.*

— ¿Podrías comparar esta «Escena» con alguna secuencia de LA CASA? Fíjate cómo lo específico de la relación entre los personajes hace variar su modo de acción y su palabra, aunque éticamente los comportamientos sean similares.

14.7. La convivencia conflictiva entre personas que se aíslan o son aisladas del mundo que les rodea, con un sentimiento específico de soledad, y las respuestas que se dan en esta situación, es un hecho que preocupó largamente a nuestro poeta. Encontrarás ejemplos en su primer libro, *Im-*

presiones y paisajes (La Cartuja, Otro convento, etc.), en el *Romancero gitano;* es notoria la soledad de *Yerma* o de *Mariana Pineda;* más compleja, la de *Doña Rosita...* También la de todos los personajes que conviven en LA CASA.

— Busca expresiones de la soledad humana en otros textos del poeta y explica los distintos matices con que presenta el problema. Lo puedes estudiar en alguno de los personajes de la obra: te propondría, como más rico en matices, a María Josefa.

14.8. Si la obra de teatro no existe de verdad hasta que no sube a las tablas, conviértete en director de escena y, sobre un plano del escenario, diseña una escena de la obra, marcando el movimiento de los personajes. ¿Te atreverías a iluminar la escena? ¿Y a bosquejar el decorado?

14.9. La visión del hombre de teatro es muy diferente de la del mero lector. A aquél le interesa, sobre todo, materializar la obra en escena, apoyándose en elementos visuales extratextuales, muchas veces reflejados en las acotaciones.

— Lorca, que pensaba dirigir él mismo la obra, fue muy parco en ellas, ¿podrías añadirlas tú? Para imaginar lo que podía haber hecho el poeta puede ser muy útil la lectura de la edición de *Don Perlimplín,* en la que Margarita Ucelay recoge las indicaciones que le hizo de viva voz a su tía, directora del grupo teatral Anfistora.